GW00645167

The LITTLE BLACK SONGBOOK

JOHNNY CASH

Published by
Wise Publications
14-15 Berners Street, London, W1T 3LJ, UK.

Exclusive distributors:
Music Sales Limited
Distribution Centre, Newmarket Road,
Bury St Edmunds, Suffolk, IP33 3YB, UK.

Music Sales Pty Limited
20 Resolution Drive, Caringbah, NSW 2229, Australia.

Order No. AM993135
ISBN 978-1-84772-502-8

This book © Copyright 2008 Wise Publications,
a division of Music Sales Limited.

Compiled by Nick Crispin.
Edited by Tom Farncombe.
Music arranged by Matt Cowe, Jason Broadbent and Jon Paxman.
Music engraved by Paul Ewers Music Design.
Cover image courtesy of LFI.

Printed in China.

www.musicsales.com

This publication is not authorised for sale in
the United States of America and / or Canada

Wise Publications
part of The Music Sales Group
London / New York / Paris / Sydney / Copenhagen / Berlin / Madrid / Tokyo

All Over Again

Words & Music by
John R. Cash

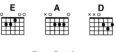

Capo first fret

Intro | E | E | A | A ‖

Verse 1 Every time I look at you I fall in love, all over a - gain,
                                                                                    E

(E above "gain")
Every time I look at you I fall in love, all over a - gain,

                                                               A
Every time I think of you it all begins, all over a - gain,

  D
Bridge1 One little dream at night and I can dream all day,

    A
It only takes a memory to thrill me.

  D
One little kiss from you and I just fly away,

  A   **E**
Pour me out your love until you fill me.

    A   **D**
Chorus 2 I wanna fall in love beginning from the start, all over a - gain,

Show me how you stole away my heart,
                                               A

  E   **A**
    All over a - gain.

Instrumental	A	A	A	A	
	A	A	E	E	
	E	E	E	E	
	E	E	A	A	‖

Bridge 2   As Bridge 1

Chorus 2
      A   D
I wanna fall in love beginning from the start, all over a - gain,

                                A
Show me how you stole away my heart,

‖: E   A
    All over a - gain,
 E   A
  All over a - gain,
 E   A
  All over a - gain. :‖

Repeat to fade

Ballad Of A Teenage Queen

Words & Music by
Jack Clement

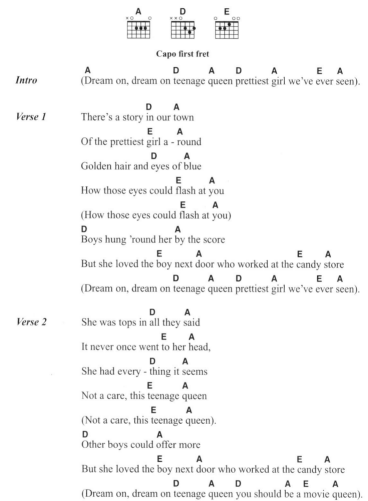

Capo first fret

Intro

    A   D   A D   A   E A
(Dream on, dream on teenage queen prettiest girl we've ever seen).

Verse 1

          D   A
There's a story in our town

          E   A
Of the prettiest girl a - round

          D   A
Golden hair and eyes of blue

       E   A
How those eyes could flash at you

          E   A
(How those eyes could flash at you)

D   A
Boys hung 'round her by the score

         E   A   E   A
But she loved the boy next door who worked at the candy store

         D   A D   A   E   A
(Dream on, dream on teenage queen prettiest girl we've ever seen).

Verse 2

          D   A
She was tops in all they said

         E   A
It never once went to her head,

          D   A
She had every - thing it seems

         E   A
Not a care, this teenage queen

         E   A
(Not a care, this teenage queen).

D   A
Other boys could offer more

         E   A   E   A
But she loved the boy next door who worked at the candy store

         D   A D   A E   A
(Dream on, dream on teenage queen you should be a movie queen).

Verse 3

                D   **A**
He would marry her next spring
               E   **A**
Saved his money, bought a ring,
           D   **A**
Then one day a movie scout
           E   **A**
Came to town to take her out
           E   **A**
(Came to town to take her out).
D   **A**
Hollywood could offer more
         E   **A**   **E**   **A**
So she left the boy next door working at the candy store
                D   **A** **D**   **A**   **E**   **A**
(Dream on, dream on teenage queen see you on the movie screen).

Verse 4

                D   **A**
Very soon she was a star
              E   **A**
Pretty house and shiny car,
               D   **A**
Swimming pool and a fence a - round
            E   **A**
But she missed her old home town
            E   **A**
(But she missed her old home town).
D   **A**
All the world was at her door
       E   **A**   **E**   **A**
All except the boy next door who worked at the candy store
                D   **A** **D**   **A**   **E** **A**
(Dream on, dream on teenage queen saddest girl we've ever seen).

Verse 5

                D   **A**
Then one day the teenage star
              E   **A**
Sold her house and all her cars,
           D   **A**
Gave up all her wealth and fame
          E   **A**
Left it all and caught a train
          E   **A**
(Left it all and caught a train).
D   **A**
Do I have to tell you more
          E   **A**   **E**   **A**
She came back to the boy next door who worked at the candy store,
              D   **A**   **D**   **A**   **E**   **A**
(Now this story has some more, you'll hear it all at the candy store).

The Ballad Of Ira Hayes

Words & Music by
Peter La Farge

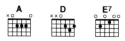

Intro
               A   **D**
Ira Hayes,   Ira Hayes,

Chorus 1
             A
Call him drunken Ira Hayes
  D
He won't answer anymore
        E
Not the whiskey drinkin' Indian
          A
Nor the Ma - rine that went to war.

| **A** | **A** | **A** | **A** | ‖

Verse 1
Gather round me people
         D
There's a story I would tell
E
   About a brave young Indian
A
You should remember well.

From the land of the Pima Indian,
   D
A proud and noble band
E
Who farmed the Phoenix valley
A
In Arizona land.

Verse 2   Down the ditches for a thousand years
             D
             The waters grew Ira's peoples' crops
                 E
             'Till the white man stole their water rights
                 A
             And the sparklin' water stopped.

             Now Ira's folks were hungry,
             D
             And their land grew crops of weeds
             E
             When war came, Ira volunteered
             A
             And forgot the white man's greed.

Chorus 2   Call him drunken Ira Hayes
                     D
             He won't answer anymore,
                 E
             Not the whiskey drinkin' Indian
                         A
             Nor the Ma - rine that went to war.

             | **A** | **A**   ‖

Verse 3   There they battled up Iwo Jima's hill,
             D
                 Two hundred and fifty men,
             E
             But only twenty-seven lived
                 A
             To walk back down again.

             And when the fight was over
             D
             And Old Glory raised
                 E
             A - mong the men who held it high
                     A
             Was the Indian, Ira Hayes.

| *Instrumental* | A | A | E | E | A | A ‖ |

Chorus 3

Call him drunken Ira Hayes
D
He won't answer anymore
E
Not the whiskey drinkin' Indian
A
Nor the Ma - rine that went to war.

| A | A | A | A ‖ |

Verse 4

Ira Hayes returned a hero
D
Celebrated through the land
E
He was wined and speeched and honored;
A
Everybody shook his hand

But he was just a Pima Indian
D
No water, no home, no chance
E
At home nobody cared what Ira'd done
A
And when did the Indians dance?

Chorus 4

Call him drunken Ira Hayes
D
He won't answer anymore
E
Not the whiskey drinkin' Indian
A
Nor the Ma - rine that went to war.

| A | A ‖ |

Verse 5

Then Ira started drinkin' hard;

D
Jail was often his home

      E
They'd let him raise the flag and lower it

A
Like you'd throw a dog a bone!

He died drunk early one mornin'

D
  Alone in the land he fought to save

E
  Two inches of water in a lonely ditch

   A
Was a grave for Ira Hayes.

Chorus 5

Call him drunken Ira Hayes

      D
He won't answer anymore

  E
Not the whiskey drinkin' Indian

     A
Nor the Ma - rine that went to war.

| **A** | **A** ‖

Outro

Yeah, call him drunken Ira Hayes,

D
  But his land is just as dry

E
  And his ghost is lyin' thirsty

A
  In the ditch where Ira died.

| **A** | **A** | **E** | **E** | **A** | **A** ‖

The Beast In Me

Words & Music by
Nick Lowe

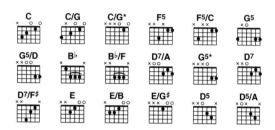

Intro | C C/G C C/G* | C C/G C ‖

Verse 1

      C/G*   C   C/G C C/G*
The beast in me

F5   F5/C G5   G5/D C   C/G C C/G*
Is caged by frail and fragile bars,

F5   F5/C G5/D G5   C   C/G*   B♭   B♭/F D7/A
Rest - less by day   and by night rants and rages at the stars,

F5 F5/C G5*   C   C/G C C/G* | G5* G5/D G5
God help   the beast in me.

Verse 2

      C/G*   C   C/G C C/G*
The beast in me,

F5   F5/C G5*   G5   C   C/G C C/G*
Has had to learn to live with pain,

F5   F5/C G5/D G5   C   C/G C C/G*
And how to shelter from the rain

F5   F5/C G5*   G5   C C/G
And in the twinkling of an eye

         B♭   B♭/F D7/A   D7 D7/F♯
might have to be re - strained,

F5 F5/C G5*   G5   C   C/G C C/G* |
God help   the beast in me.

Link | C   C/G   C   C/G* ‖

Bridge

E   E/B   E/G♯   E   E/G♯   E   F5   F5/C   F5   F5/C
Some - times,   it tries to kid me   that it's just a teddy bear,

F5   F5/C   F5 F5/C   C   C/G   C   C/G
And even some - how man - age   to vanish in the air,

G5*   G5   G5*   G5
And that is when I must be - ware

G5/D   G5   C   C/G   C   C/G*
Of the beast in me.

Verse 3

F5   F5/C   G5/D G5 C   C/G   C   C/G*
That every - bo - dy knows,

F5   F5/C   G5/D   G5   C   C/G
They've seen him out dressed   in my clothes,

B♭   D5   D5/A   D7
Patently un - clear

D7/F♯ F5   F5/C F5 F5/C   C   C/G   C   C/G*
If it's New York,   or New Year.

F5 F5/C F5   G5   C   C/G   C   C/G* | F5   F5/C
God help the beast in me,

G5   G5*   G5   C
The beast in   me.

13

Big River

Words & Music by
John R. Cash

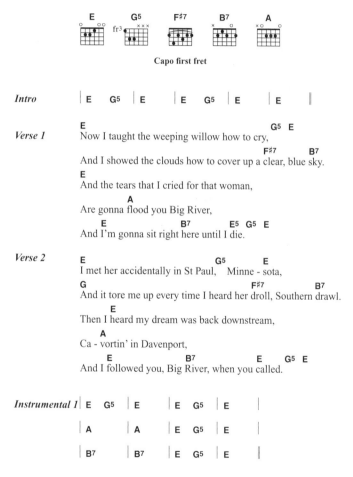

Capo first fret

Intro | E G5 | E | E G5 | E | E   ‖

Verse 1
E
Now I taught the weeping willow how to cry,
                                                G5 E
... how to cry,
                                         F#7   B7
And I showed the clouds how to cover up a clear, blue sky.
E
And the tears that I cried for that woman,
               A
Are gonna flood you Big River,
      E   B7   E5 G5 E
And I'm gonna sit right here until I die.

Verse 2
E   G5   E
I met her accidentally in St Paul,   Minne - sota,
G   F#7   B7
And it tore me up every time I heard her droll, Southern drawl.
           E
Then I heard my dream was back downstream,
      A
Ca - vortin' in Davenport,
         E   B7   E   G5 E
And I followed you, Big River, when you called.

Instrumental 1 | E G5 | E | E G5 | E |

                        | A | A | E G5 | E |

                        | B7 | B7 | E G5 | E   ‖

Verse 3

E
Then you took me to St. Louis later on down the river.

A freighter said she's been here
      F♯7   **B7**
But she's gone, boy, she's gone.

  E   **A**
I found her trail in Memphis, but she just walked up the block.

         E   **B7**   **E** **G5** **E**
She raised a few eyebrows and then she went on down a - lone.

Verse 4

E
Now, won't you batter down by Baton Rouge,

River Queen, roll it on.
                                F♯7   **B7**
Take that woman on down to New Or - leans, New Or - leans.

   E
Go on, I've had enough;

     A
Dump my blues down in the gulf.

E   **B7**   **E** **G5** **E**
She loves you, Big River, more than me.

Instrumental 2 | **E**   **G5** | **E** | **E**   **G5** | **E** |

                   | **A** | **A** | **E**   **G5** | **E** |

                   | **B7** | **B7** | **E**   **G5** | **E**   ‖

Verse 5

E   **G5** **E**
Now I taught the weeping willow how to cry, cry, cry.

                              F♯7   **B7**
And I showed the clouds how to cover up a clear blue sky.

E
And the tears that I cried for that woman,

    A
Are gonna flood you Big River,

    E   **B7**   **E** **G5** | **E** | **E** **G5** | **E** **G5** | **E** ‖
And I'm gonna sit right here until I die.

15

Blistered

Words & Music by
Billy Edd Wheeler

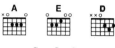

Capo first fret

Intro | A | A | A | A | A | A ‖

Verse 1
    A
I've got great big blisters on my bloodshot eyes from looking
       E   **A**
At that long legged woman up a - head.

What she does simply walking down the sidewalks of that city
       E   **A**
Makes me think about a stray cat getting fed.
    D
She's got a whole lotta motion in her soul, I know,
          E
But her soul ain't the place she lets it show.

Chorus 1
   (E)
She got a body, oh yeah, she got a motion, oh yeah,

Lord I'm blistered, oh, oh yeah.
   A   **D**
She done tore my soul apart, put big blisters on my heart,
  E   **A**
What a mighty crazy cooking way to go.

Instrumental	A	A	A	A			

```
Instrumental | A      | A      | A      | A      |

             | A      | E      | A      | A      |

             | D      | D      | D      | D      |

             | D      | D      | E      | E      |

             | E      | E      | A      | A      | A      | A      ‖
```

Verse 2

A
I've got great big blisters on my fingertips
                                        E   A
From reaching in my pocket book and picking out the bills.

And I got tiny white blisters in my throat
                                  E   A
From trying to ease my nervous tension taking all them patent pills.
                D
And ever since she started running 'round from bar to bar,
                                            E
I just can't eat a bite or keep my stomach settled down.

Chorus 2

(E)
She got a body, oh yeah, she got a motion, oh yeah,

She done got me, oh yeah.
                A   D
She done tore my soul apart, put big blisters on my heart,
        E   A
What a mighty crazy cooking way to go.

Link

```
| E      | E      | E      | E      ‖
```

Outro

(E)
She got a body, oh yeah, she got a motion, oh yeah,

Oh I'm blistered, oh, oh, yeah,

Oh, oh, oh, oh, oh, oh yeah,

Blistered, blistered.   *Fade out*

A Boy Named Sue

Words & Music by
Shel Silverstein

Capo first fret

Intro | A | A | A | A ‖

Verse 1 Well my daddy left home when I was three
D7
And he didn't leave much to ma and me,
E7   **A**
Just this old guitar and an empty bottle of booze.

Now, I don't blame him 'cause he run and hid
D7
But the meanest thing that he ever did
E7   **A** | **A** |
Was be - fore he left, he went and named me "Sue."

Verse 2 Well, he must o' thought that it was quite a joke
D7
And it got a lot of laughs from a' lots of folk,
E7   **A**
It seems I had to fight my whole life through.

Some gal would giggle and I'd get red
D7
And some guy'd laugh and I'd bust his head,
E7   **A** | **A** |
I tell ya, life ain't easy for a boy named "Sue."

Verse 3

Well, I grew up quick, and I grew up mean,

D7
My fist got hard and my wits got keen,

E7   **A**
I'd roam from town to town to hide my shame.

But I made me a vow to the moon and stars

D7
That I'd search the honky-tonks and bars

E7   **A**
 And kill that man that gave me that awful name.

Verse 4

Well, it was Gatlinburg in mid-July

D7
And I just hit town and my throat was dry,

E7   **A**
 I thought I'd stop and have myself a brew.

At an old saloon on a street of mud,

D7
There at a table, dealing stud,

E7   **A**
Sat the dirty, mangy dog that named me "Sue."

Verse 5

Well, I knew that snake was my own sweet dad

D7
From a worn-out picture that my mother'd had,

E7   **A**
And I knew that scar on his cheek and his evil eye.

He was big and bent and grey and old,

D7
And I looked at him and my blood ran cold

E7   **A**
And I said: "My name is "Sue!" How do you do!

Now you gonna die!"

Yeah, that's what I told him!

19

Verse 6   Well, I hit him hard right between the eyes

                  D7
And   he went down, but to my surprise,

                  E7   **A**
He come up with a knife and cut off a piece of my ear.

But I busted a chair right across his teeth

                  D7
And we crashed through the wall and into the street

E7   **A**
Kicking and a' gouging in the mud and the blood and the beer.

Verse 7   I tell ya, I've fought tougher men

                  D7
But I really can't remember when,

                  E7   **A**
He kicked like a mule and he bit like a croco - dile.

I heard him laugh and then I heard him cuss,

D7
   He went for his gun and I pulled mine first,

                  E7   **A**
He stood there lookin' at me and I saw him smile.

Verse 8   And he said: "Son, this world is rough

                  D7
And if a man's gonna make it, he's gotta be tough

                  E7   **A**
And I knew I wouldn't be there to help you a - long.

So I give you that name and I said goodbye

                  D7
I knew you'd have to get tough or die

                  E7   **A**
And it's the name that helped to make you strong." Yeah.

Verse 9

He said: "Now you just fought one hell of a fight
D7
And I know you hate me, and you got the right
E7   **A**
To kill me now, and I wouldn't blame you if you do.

But you ought to thank me, before I die,
D7
For the gravel in ya guts and the spit in ya eye
E7   **A**
Cause I'm the son-of-a-bitch that named you "Sue."

Verse 10

Yeah what could I do, what could I do?
D7   **E7**
  I got all choked up and I threw down my gun
      D7
And I called him my pa, and he called me his son,
E7   **A**
And I come away with a different point of view.

And I think about him, now and then,
      D7   **E7**
Every time I try and every time I win,
                        N.C.
And if I ever have a son, I think I'm gonna name him
                                    A
Bill or George! Anything damn thing but Sue! I still hate that name!

Come In Stranger

Words & Music by
Johnny Cash

Capo second fret

Intro | E | E | E | E ‖

Verse 1
         E   B7   E
She said: "Come in stranger, it's good to have you home.
      A   E
I hurried through 'cause I knew it was you,
         B7   E
When I   saw your dog, waggin' his tail.
A   E
Honey, why didn't you let me know by mail?
F#7   B7
   You've been gone so long."

Verse 2
      B7   E
She said: "Come in stranger, I know you're weary from all the miles.
         A   E
Just sit right there in your easy chair
        B7   E
And tell me all about the places you've been.
        A   E
How long it'll be before you leave again?
      F#7   B7
I hope it's a long, long while."

Verse 3

B7   E   B7   E
She said: "Come in stranger, every - thing 'round home is fine

    A   E
I've watched and I've waited for you to get back,

    B7   E
And I missed you all the time."

Guitar solo | E | E | B7 | E |

                | A | E | B7 | E   ‖

Verse 4

E   B7   E
She said: "Come in, stranger, oh, how I miss you when you're gone.

   A   E
I walk the floor and I watch the door,

        B7   E
And then I lie awake and wonder where you can be.

    A   E
I'd give anything to have you here with me,

       F#7   B7
I get so lonesome all a - lone."

B7   E   B7   E
She said: "Come in, stranger and won't you listen to my plea:

      A   E   B7   E
Stay long enough, so that the one I love is not a stranger to me."

Outro | E | E   ‖

Cry! Cry! Cry!

Words & Music by
John R. Cash

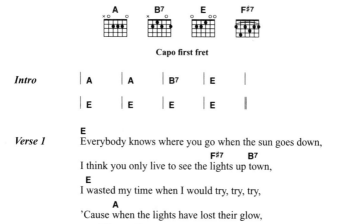

Capo first fret

Intro | A | A | B⁷ | E |

| E | E | E | E ‖

Verse 1

    E
Everybody knows where you go when the sun goes down,
                            F♯7   **B⁷**
I think you only live to see the lights up town,
  E
I wasted my time when I would try, try, try,
       A
'Cause when the lights have lost their glow,
  B⁷   **E**
You cry, cry, cry.

Verse 2

Soon your Sugar Daddy's will all be gone,
                    F♯7   **B⁷**
You'll wake up some cold day and find you're a - lone.
    E
You'll call for me, but I'm gonna tell you bye, bye, bye,
        A   **B⁷**   **E**
When I turn around and walk away you'll cry, cry, cry.

Chorus 2

        B⁷   **E**
You're gonna cry, cry, cry,

And you'll cry alone,
      A   **E**
When everyone's forgotten and you're left on your own,

You're gonna cry, cry, cry.

Guitar solo		E		E		E		E		
		A		A		A		A		
		E		E		E		E		
		B7		B7		E		E		E

Verse 3

I lie awake at night to wait till you come in,

                                             F#7   **B7**
You stay a little while and then you're gone a - gain.

     E
Every question that I ask I get a lie, lie, lie,

  A
For every lie you tell

      B7   **E**
You're gonna cry, cry, cry.

Verse 4

When your fickle love gets old, no one will care for you,

                                         F#7   **B7**
Then you'll come back to me for a little love that's true,

     E
I'll tell you no, and then you'll ask me why, why, why,

  A
When I remind you of all of this,

      B7   **E**
You're gonna cry, cry, cry.

Chorus 2

You're gonna cry, cry, cry, and you'll want me then,

  A   **E**
It'll hurt when you think of the fool you've been,

      B7   **E**
You're gonna cry, cry, cry.

| *Outro* | | A | | A | | B7 | | E | | E | | E | | |

Cocaine Blues

Words & Music by
T. J. "Red" Arnall

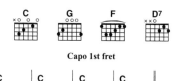

Capo 1st fret

Intro | C | C | C | C   ‖

Verse 1
    C
Early one mornin' while makin' the rounds
                        G
I took a shot of cocaine and I shot my woman down.

I went right home and I went to bed,
    C   N.C.
I stuck that lovin' 44 beneath my head.

Verse 2
    C
Got up next mornin' and I grabbed that gun,
                  G
Took a shot of cocaine and a - way I run.

Made a good run but I run too slow,
    C   N.C.
They ov - ertook me down in Juarez, Mexico.

Verse 3
    C
Late in the hot joints takin' the pill,
                G
In walked the sheriff from Jericho Hill.

He said: "Willy Lee your name is not Jack Brown,
C   N.C.
You - 're the dirty hack that shot your woman down."

Verse 4

C
Said: "Yes, oh yes, my name is Willy Lee,

                                       G
If you've got a warrant just a - read it to me.

Shot her down because she made me slow,

  C N.C.
I thought I was her daddy but she had five more."

Verse 5

C
When I was arrested, I was dressed in black,

                                 G
They put me on a train and they took me back.

Had no friends for to go my bail,

    C   N.C.
They slap - ped my dried up carcass in that county jail.

Verse 6

C
Early the next mornin', 'bout a-half past nine,

                         G
I spied the Sheriff comin' down the line.

Hawked and he coughed as he cleared his throat,

             C N.C.
He said: "Come on you dirty hack into that district court."

Verse 7

C
Into the courtroom my trial began,

                      G
Where I was handled by twelve honest men.

Just before the jury started out,

  C N.C.
I saw   that little judge commence to look about.

Verse 8

C
In about five minutes in walked a man

G
Holding the verdict in his right hand.

The verdict read in the first degree,

C   **N.C.**
I hol - lered, "Lordy, Lordy have mercy on me."

Verse 9

C
The judge he smiled as he picked up his pen,

G
99 years in the Folsom Pen.

99 years underneath that ground,

C   **N.C.**
I can - 't forget today I shot that bad bitch down.

Outro

C   **F**
Come on you gotta listen unto me,

D7   **G**   **C**
Lay off that whiskey and let that cocaine be.

Down There By The Train

Words & Music by
Tom Waits

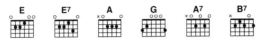

Tune guitar down two semitones

Verse 1

   E   E7   A   E
There's a place I know where the train goes slow,

                                    G   A7
Where the sinner can be washed in the blood of the lamb.

            E   E7   A
There's a river by the tre - stle down by sinner's grove,

                 E   B7   A   E
Down where the willow and the dogwood grow.

       A   E   A   E
You can hear the whistle, you can hear the bell

               E7   A   B7
From the halls of heaven to the gates of hell.

          A   E   E7   A
And there's room for the for - saken if you're there on time,

         E   E7   A
You'll be washed of all your sins and all of your crimes.

Chorus 1

       E
If you're down there by the train,

B7
Down there by the train,

E
Down there by the train,

A
Down there by the train,

E   B7   E
Down there where the train goes slow.

Verse 2

```
E                    E7        A                        E
```
There's a golden moon that shines up through the mist,

```
                 B7   A                   B7
```
And I know that your name   can be on that list.

```
             E        E7            A
```
There's no eye for an eye, there's no tooth for a tooth,

```
       E                       B7           A
```
I saw Judas Iscariot carrying John Wilkes Booth.

Chorus 2

```
(A)    E
```
He was down there by the train,

```
B7
```
Down there by the train,

```
E
```
Down there by the train,

```
A
```
Down there by the train,

```
             E                         B7   E
```
He was down there where the train goes slow.

Verse 3

```
E                        E7   A                          E
```
If you've lost all your hope,   if you've lost all your faith,

```
                 E7            A                    B7
```
I know you can be cared for and   I know you can be safe.

```
E               E7         A
```
  And all the shamefuls and   all of the whores,

```
       E                       B7           A
```
And even the soldier who pierced the side of the Lord.

Chorus 3

```
     E
```
Is down there by the train,

```
B7
```
Down there by the train,

```
E
```
Down there by the train,

```
A
```
Down there by the train,

```
E                         B7   E
```
Down there where the train goes slow.

Verse 4

    E   E7   A   E
Well, I've never asked for - giveness   and I've never said a prayer,

                  E7   A   B7
Never given of my - self,   never truly cared.

    E   E7   A
I've left the ones who loved me and I'm still raising Cain,

    E   B7   A
  I've taken the low road and if   you've done the same.

Chorus 4

    A   E
Meet me down there by the train,

    B7
Down there by the train,

    E
Down there by the train,

    A
Down there by the train,

    E   B7   E
Down there where the train goes slow.

Chorus 5

    E
Meet me down there by the train,

    B7
Down there by the train,

    E
Down there by the train,

    A
Down there by the train,

    E   B7   E
Down there where the train goes slow.

Daddy Sang Bass

Words & Music by
Carl Perkins

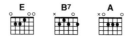

Intro | E | B7 | E | E ‖

Verse 1
I remember when I was a lad
         A   **E**
Times were hard and things were bad,
                                 B7
But there's a silver linin' behind every cloud.
        E
Just poor people that's all we were
              A   **E**
Tryin' to make a livin' out of blackland earth
                        B7   **E**
But we'd get together in a family circle singin' loud:

Chorus 1
N.C.   **E**
Daddy sang bass, Mama sang tenor
        A   **E**
Me and little brother would join right in there,
                     B7
Singin' seems to help a troubled soul.
        E
One of these days and it won't be long
        A   **E**
I'll re - join them in a song
                B7   **E**
I'm gonna join the family circle at the throne.

No, the circle won't be broken
        A   **E**
By and by, Lord, by and by.

cont.

N.C.   E

Daddy'll sing bass, Mama'll sing tenor

                A   E

Me and little brother will join right in there

          B7   E

In the sky, Lord, in the sky.

| E | B7 | E | E | ‖

Verse 2

Now I remember after work,

           A   E

Mama would call in all of us

                           B7

You could hear us singin' for a country mile.

       E

Now little brother has done gone on

      A   E

But I'll re - join him in a song

                  B7   E

We'll be together again up yonder in a little while.

Chorus 2

N.C.   E

Daddy sang bass, Mama sang tenor

                A   E

Me and little brother would join right in there

                    B7

Singin' seems to help a troubled soul.

       E

One of these days and it won't be long

    A   E

I'll re - join them in a song

                 B7   E

I'm gonna join the family circle at the throne.

Oh no, the circle won't be broken

      A   E

By and by, Lord, by and by.

N.C.   E

Daddy'll sing bass, Mama'll sing tenor

                A   E

Me and little brother will join right in there

          B7   E

In the sky, Lord, in the sky,

          B7   E

In the sky, Lord, in the sky.

Delia's Gone

Words & Music by
John R. Cash

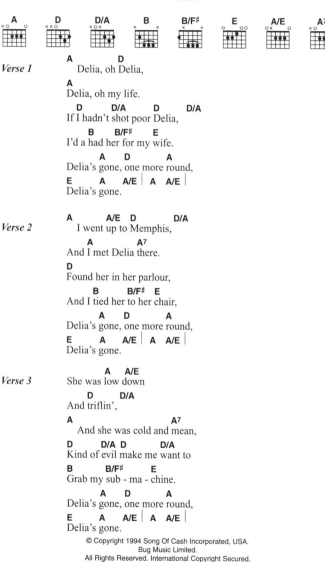

Verse 1

   A   **D**
   Delia, oh Delia,

   A
Delia, oh my life.

   D **D/A** **D** **D/A**
If I hadn't shot poor Delia,

    B **B/F#** **E**
I'd a had her for my wife.

     A **D**   **A**
Delia's gone, one more round,

E **A** **A/E** | **A** **A/E** |
Delia's gone.

Verse 2

   A   **A/E** **D**   **D/A**
   I went up to Memphis,

   A   **A7**
And I met Delia there.

D
Found her in her parlour,

   B **B/F#** **E**
And I tied her to her chair,

    A **D**   **A**
Delia's gone, one more round,

E **A** **A/E** | **A** **A/E** |
Delia's gone.

Verse 3

    A **A/E**
She was low down

   D **D/A**
And triflin',

  A   **A7**
  And she was cold and mean,

D **D/A** **D** **D/A**
Kind of evil make me want to

B **B/F#** **E**
Grab my sub - ma - chine.

    A **D**   **A**
Delia's gone, one more round,

E **A** **A/E** | **A** **A/E** |
Delia's gone.

Verse 4

```
A       A/E   D        D/A
First time I shot her,
A               A7
I shot her in the side.
D       D/A      D      D/A
Hard to watch her suffer
              B     B/F♯   E
But with the second shot she died,
        A      D        A
Delia's gone, one more round,
E      A    A/E │ A   A/E │
Delia's gone.
```

Verse 5

```
        A    A/E  D      D/A
But Jailer,    oh Jailer,
A                  A7
   Jailer, I can't sleep,
        D     D/A     D        D/A
'Cause all a - round my bedside
              B       B/F♯   E
I hear the patter of Delia's feet.
        A      D        A
Delia's gone, one more round,
E      A    A/E │ A   A/E │
Delia's gone.
```

Verse 6

```
      A      A/E     D        D/A
So if your woman's devilish,
A                  A7
   You can let her run,
   D        D/A       D
Or you can bring her down
      D/A    B        B/F♯   E
And do her   like Delia  got done,
        A      D        A
Delia's gone, one more round,
E      A    A/E │ A
Delia's gone.
```

Outro

```
A/E    A    D        A
Delia's gone, one more round,
E      A    A/E │ A  A/E  A  ‖
Delia's gone.
```

Don't Take Your Guns To Town

Words & Music by
John R. Cash

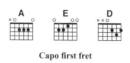

Capo first fret

Intro | A | A | A | A ||

Verse 1 A young cowboy named Billy Joe
           E   **A**
Grew restless on the farm

A boy filled with wanderlust
         E   **A**
Who really meant no harm.
     D
He changed his clothes and shined his boots

And combed his dark hair down
        A
And his mother cried as he walked out;

         D   **A**
Chorus 1 "Don't take your guns to town, son
D   **A**
Leave your guns at home, Bill
       D   **A** | A | A | A ||
Don't take your guns to town."

Verse 2 He laughed and kissed his mum
             E   **A**
And said "Your Billy Joe's a man.

                      E   **A**
I can shoot as quick and straight as anybody can.
     D
But I wouldn't shoot without a cause,

I'd gun nobody down."
      A
But she cried again as he rode away;

Chorus 2　　　As Chorus 1

Verse 3　　　He sang a song as on he rode,
　　　　　　　　　 E　　　　　　　 **A**
　　　　　　　　His guns hung at his hips.

　　　　　　　　He rode into a cattle town,
　　　　　　　　　 E　　　　　　　　 **A**
　　　　　　　　A smile upon his lips

　　　　　　　　　 D
　　　　　　　　He stopped and walked into a bar and laid his money down,

　　　　　　　　　　　　　 A
　　　　　　　　But his mother's words echoed again;

Chorus 3　　　As Chorus 1

　　　　　　　　　　　　　　　　　　　 E　　　　　　　 **A**
Verse 4　　　He drank his first strong liquor then to calm his shaking hand,
　　　　　　　　　　　　　　　　 E　　　　　 **A**
　　　　　　　　And tried to tell himself at last he had become a man,

　　　　　　　　　 D
　　　　　　　　A dusty cowpoke at his side began to laugh him down,

　　　　　　　　　　　 A
　　　　　　　　And he heard again his mother's words;

Chorus 4　　　As Chorus 1

　　　　　　　　　　　　　　　　　 E　　　　　　 **A**
Verse 5　　　Bill was raged and Billy Joe reached for his gun to draw
　　　　　　　　　　　　　　　　　 E　　　　　 **A**
　　　　　　　　But the stranger drew his gun and fired before he even saw.

　　　　　　　　　 D
　　　　　　　　As Billy Joe fell to the floor the crowd all gathered 'round

　　　　　　　　　　 A
　　　　　　　　And wondered at his final words;

　　　　　　　　　　 D　　　　　　　 **A**
Chorus 5　　　"Don't take your guns to town, son
　　　　　　　　 D　　　　　　　 **A**
　　　　　　　　Leave your guns at home, Bill
　　　　　　　　　 D　　　　　　 **A**　　 | **A**　　 | **A**　　 | **A**　　‖
　　　　　　　　Don't take your guns to town."

Drive On

Words & Music by
Johnny Cash

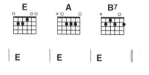

Intro | E | E | E | E ‖

Verse 1
E
Well I got a friend named Whiskey Sam,
          A
He was my boonie rat buddy for a year in 'Nam.
          B7
He said "I think my country got a little off track,
          E
Took 'em twenty-five years to welcome me back."

But, it's better than not coming back at all,
A
Many a good man I saw fall.
B7
     And even now every time I dream,
               E   B7   E
I hear the men and the monkeys in the jungle scream.

Chorus 1
E
Drive on, it don't mean nothin',
          B7   E
My children love me, but they don't understand.
          A   E
And I got a woman who knows her man,
                                                        B7   E
Drive on, it don't mean nothin', it don't mean nothin',   drive on.

Verse 2

   E
Well I remember one night Tex and me

   A
   Rappelled in on a hot L.Z.

    B7
We had our 16's on rock 'n' roll

     E   B7   E
And with all that fire I was scared and cold.

                         A
I was crazy, and I was wild   and I have seen the tiger smile.

   B7   E   B7   E
I spit in a bamboo viper's face and I'd be dead, but by God's grace.

Chorus 2   As Chorus 1

Verse 3

   E
It was a slow walk in a sad rain

   A
   And nobody tried to be John Wayne.

B7   E   B7   E
I came home, but Tex did not and I can't talk about the hit he got.

But I got a little limp now when I walk

    A
And I got a little tremolo when I talk.

    B7
But my letter read from Whiskey Sam:

      E   B7   E
You're a walkin' talkin' miracle from Viet - nam.

Chorus 3   As Chorus 1

Five Feet High And Rising

Words & Music by
John R. Cash

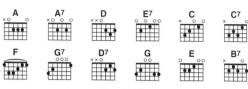

Capo first fret

Chorus 1
    A
How high's the water, mama?

"Two feet high and risin'."

How high's the water, papa?

She said it's "Two feet high and risin'."

Verse 1
           A7
"We can make it to the road in a homemade boat
      D
'Cause that's the only thing we got left that'll float
E7
It's already over all the wheat and the oats,
    A
Two feet high and risin'."

Chorus 2
   C
How high's the water, mama?

"Three feet high and risin'."

How high's the water, papa?

She said it's "Three feet high and risin'."

Verse 2
Well, the hives are gone,
  C7
I've lost my bees

cont.

    F
The chickens are sleepin'

In the willow trees
    G⁷
The cow's in water up past her knees,

           C
Three feet high and risin'.

Chorus 3

D
  How high's the water, mama?

"Four feet high and risin'."

How high's the water, papa?

She said it's "Four feet high and risin'."

Verse 3

               D⁷
Hey, come look through the window pane,
  G
The bus is comin', gonna take us to the train
A⁷
Looks like we'll be blessed with a little more rain,

      D
Four feet high and risin'.

Chorus 4

E
  How high's the water, mama?

"Five feet high and risin'."

How high's the water, papa?

She said it's "Five feet high and risin'."

Verse 4

             E⁷
Well, the rails are washed out north of town
A
We gotta head for higher ground
  B⁷
We can't come back till the water goes down,
  E
Five feet high and risin'
     B⁷   **E**
Well, it's five feet high and risin'.

Folsom Prison Blues

Words & Music by
Johnny Cash

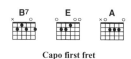

Capo first fret

Intro | B7 | B7 | E | E   ‖

Verse 1   I hear the train a-comin' it's rollin' round the bend,

And I ain't seen the sunshine since, I don't know when.
       A   **E**
I'm stuck in Folsom Prison, and time keeps draggin' on.
      B7   **E**
But that train keeps rollin' on down to San An - tone.

Verse 2   When I was just a baby, my mama told me

"Son, always be a good boy, don't ever play with guns."
       A   **E**
But I shot a man in Reno just to watch him die.
      B7   **E**
When I hear that whistle blowin' I hang my head and cry.

Guitar solo 1 | E | E | E | E |

| E | E | E | E   ‖

| A | A | A | A |

| E | E | E | E   ‖

| B7 | B7 | B7 | B7 | E | E   ‖

Verse 3   I bet there's rich folks eatin' in a fancy dining car.

They're probably drinkin' coffee and smokin' big cigars.

     A   **E**
Well I know I had it comin', I know I can't be free,

        B7   **E**
But those people keep a-movin' and that's what tortures me.

Guitar solo 2 | E | E | E | E |

                      | E | E | E | E   ‖

                      | A | A | A | A |

                      | E | E | E | E   ‖

                      | B7 | B7 | B7 | B7 | E |

Verse 4   Well if they freed me from this prison, if that railroad train was mine,

I bet I'd move it on a little farther down the line,

A   **E**
Far from Folsom Prison, that's where I want to stay,

        B7   **E**
And I'd let that lonesome whistle blow my blues a - way.

Outro | B7 | B7 | E | E   ‖

Forty Shades Of Green

Words & Music by
Johnny Cash

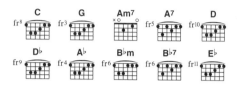

Intro
C   G   Am7   G
Green, green, forty shades of green.

Verse 1
     G   C
I close my eyes and picture the em'rald of the sea,
                           G   A7   D
From the fishing boats at Dingle to the shores of Donagha - dee.
     G   C
I miss the River Shannon and the folks at Skibbereen,
                         G   D   G
The moorlands and the meadows with their forty shades of green.

Chorus 1
     C   D   G
But most of all I miss a girl in Tipperary town,
C   D   G   D
And most of all I miss her lips as soft as eider - down.
G   C
Again I want to see and do the things we've done and seen,
                        G
Where the breeze is sweet as Shalimar
          D   G
And there's forty shades of green.

Link 1
     Db   Ab   Bbm   Ab
Green, green, forty shades of green.

Verse 2

    A♭   **D♭**
I wish that I could spend an hour at Dublin's churning surf,
                A♭   **B♭7**   **E♭**
I'd love to watch the farmers drain the bogs and spade the turf.
    A♭   **D♭**
To see again the thatching of the straw the women glean,
             A♭   **E♭**   **A♭**
I'd walk from Cork to Larne to see the forty shades of green.

Chorus 2

    D♭   **E♭**   **A♭**
But most of all I miss a girl in Tipperary town,
   D♭   **E♭**   **A♭**   **D♭**
And most of all I miss her lips as soft as eider - down.
   A♭   **D♭**
A - gain I want to see and do the things we've done and seen,
            A♭
Where the breeze is sweet as Shalimar
      B♭m E♭   **A♭**
And there's forty shades of green.

Frankie's Man, Johnny

Traditional
Arranged by Johnny Cash

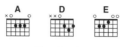

Capo first fret

Verse 1

N.C.   A
Well now, Frankie and Johnny were sweethearts,

They were true as a blue, blue sky.
D   A
He was a long-legged guitar picker with a wicked wanderin' eye,
                 E   A
But he was her man nearly all of the time.

Verse 2

A
Well, Johnny he packed up to leave her, but he promised he'd be back.
D   A
He said he had a little pickin' to do a little farther down the track.
            E   A
He said: "I'm your man, I wouldn't do you wrong."

Verse 3

A
Well, Frankie curled up on the sofa thinkin' about her man.
D   A
Far away the couples were dancing to the music of his band,
            E   A
He was Frankie's man, he wasn't doin' her wrong.

Verse 4

A
Then in the front door walked a redhead, Johnny saw her right away.
D   A
She came down by the bandstand to watch him while he played.
            E   A
He was Frankie's man, but she was far a - way.

Verse 5

A
He sang every song to the redhead, she smiled back at him.
D   A
Then he came and sat at her table where the lights were low and dim.
                E   A
What Frankie didn't know, wouldn't hurt her none.

Verse 6

A
Then the redhead jumped up and slapped him,

She slapped him a time or two.
   D   A
She said: "I'm Frankie's sister and I was checking up on you.
       E   A
If you're her man, you better treat her right."

Verse 7

A
Well, the moral of this story is be good but carry a stick.
D   A
Sometimes it looks like a guitar picker just can't tell what to pick.
            E   A
He was Frankie's man and he still ain't done her wrong.

Flesh And Blood

Words & Music by
John R. Cash

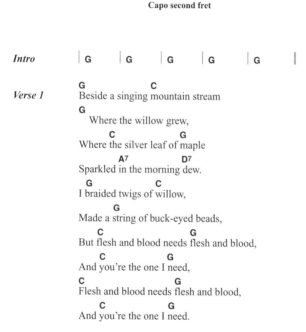

Capo second fret

Intro | G | G | G | G | G   ‖

Verse 1

G   C
Beside a singing mountain stream
G
   Where the willow grew,
    C   G
Where the silver leaf of maple
    A7   D7
Sparkled in the morning dew.
  G   C
I braided twigs of willow,
     G
Made a string of buck-eyed beads,
   C   G
But flesh and blood needs flesh and blood,
   C   G
And you're the one I need,
C   G
Flesh and blood needs flesh and blood,
    C   G
And you're the one I need.

                                                 C

Verse 2   I leaned against the bark of birch

                   G

And I breathed the honey dew,

        C   **G**

I saw a north bound flock of geese

           A⁷   **D⁷**

Against a sky of navy blue.

G   **C**

Beside the lily pads

           G

I carved a whistle from a reed,

        C   **G**

Mother Nature's quite a lady,

      C   **G**

But you're the one I need.

C   **G**

Flesh and blood needs flesh and blood,

      C   **G**

And you're the one I need.

Instrumental | C | G | C/G | G |

                 | C | G | G   ‖

                                           C

Verse 3   A Cardinal sang just for me,

            G

And I thanked him for the song,

           C   **G**

And the sun went slowly down the west

          A⁷   **D⁷**

And I had to move a - long.

G   **C**

These were some of the things

              G

On which my mind and spirit feed,

      C   **G**

But flesh and blood needs flesh and blood,

      C   **G**

And you're the one I need,

C   **G**

Flesh and blood needs flesh and blood,

      C   **G**

And you're the one I need.

Verse 4

                             C
So when the day was ended

     G
I was still not satisfied,

    C   **G**
For I knew every - thing I touched

      A7   **D7**
Would wither and would die.

    G   **C**
And love is all that will remain

     G
And grow from all these seeds.

        C   **G**
Mother Nature's quite a lady,

     C   **G**
But you're the one I need.

C   **G**
Flesh and blood needs flesh and blood,

     C   **G**
And you're the one I need.

Outro | **G** | **G** | **G** | **G** |

to fade

God's Gonna Cut You Down

Words & Music by
Johnny Cash

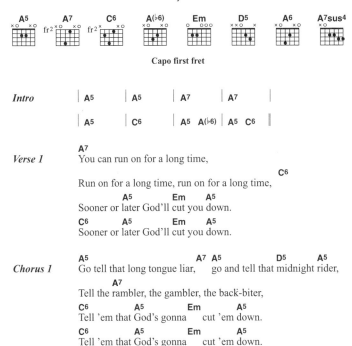

A5   A7   C6   A(♭6)   Em   D5   A6   A7sus4

Capo first fret

Intro | A5 | A5 | A7 | A7 |

| A5 | C6 | A5 A(♭6) | A5 C6 ‖

Verse 1
    A7
You can run on for a long time,

                                        C6
Run on for a long time, run on for a long time,

           A5   Em   A5
Sooner or later God'll cut you down.

C6   A5   Em   A5
Sooner or later God'll cut you down.

Chorus 1
    A5   A7 A5   D5   A5
Go tell that long tongue liar,   go and tell that midnight rider,

                   A7
Tell the rambler, the gambler, the back-biter,

C6   A5   Em   A5
Tell 'em that God's gonna   cut 'em down.

C6   A5   Em   A5
Tell 'em that God's gonna   cut 'em down.

Link 1 | A5 | A5 C6 ‖

Verse 2

A5 **A(♭6)** **A5**   **C6**   **A6**
Well, my goodness gracious let me tell you the news,

      A7   **C6** **A5**
My head's been wet with the midnight dew.

A7
I've been down on bended knee

Talkin' to the man from Galilee.

                              C6   **A5**
He spoke to me in the voice so sweet,

A7   **C6**   **A7**
I thought I heard the shuffle of the angel's feet.

He called my name and my heart stood still,

                  N.C.   **C6** **A5**
When he said, "John, go do my will."

Chorus 2

A5   **A7sus4**   **A5**
Go tell that long tongue liar, go and tell that midnight rider,

      A7
Tell the rambler, the gambler, the back biter,

C6   **A5**   **Em**   **A5**
Tell 'em that God's gonna   cut 'em down.

C6   **A5**   **Em**   **A5**
Tell 'em that God's gonna   cut 'em down.

Bridge 1

A5   **A7**
You can run on for a long time,

                  A5
Run on for a long time, run on for a long time,

C6   **A5**   **A7**   **A5**
Sooner or later God'll cut you down.

C6   **A5**   **A7**   **A5**   **C6** **A5**
Sooner or later God'll cut you down.

Verse 3

A7   **C6**   **A7**
Well, you may throw your rock and hide your hand,

                              C6 **A7**
Workin' in the dark against your fellow man.

                      C6   **A7**
But as sure as God made black and white,

                      C6   **A7**
What's down in the dark will be brought to the light.

Bridge 2

A⁷   **C⁶**
You can run on for a long time,

A⁷
Run on for a long time, run on for a long time,

C⁶   **A⁵**   **Em**   **A⁵**
Sooner or later God'll cut you down.

C⁶   **A⁵**   **Em**   **A⁵**
Sooner or later God'll   cut you down.

Chorus 3

A⁷   **C⁶**   **A⁷**
Go tell that long tongue liar,   go and tell that midnight rider,

                                       C⁶   **A⁷**
Tell the rambler, the gambler,   the back - biter,

C⁶   **A⁷**   **Em**   **A⁷**
Tell 'em that God's gonna   cut you down.

C⁶   **A⁷**   **Em**   **A⁷**
Tell 'em that God's gonna   cut you down.

C⁶   **A⁷**   **Em**   **A⁷**
Tell 'em that God's gonna   cut you down.

Get Rhythm

Words & Music by
John R. Cash

Capo first fret

Chorus 1

        E
Hey get rhythm, when you get the blues,
        A   **E**
Come on get rhythm, when you get the blues,

Get a rock 'n' roll feelin' in your bones,

Put taps on your toes and get gone,
    A   **B7**   **E**
Get rhythm when you get the blues.

Verse 1

       E
A little shoe-shine boy he never gets low down

But he's got the dirtiest job in town.

Bending low at the peoples feet

On a windy corner of a dirty street.

When I asked him while he shined my shoe

How'd he keep from getting the blues?

He grinned as he raised his little head,

He popped his shoe-shine rag and then he said:

Chorus 2

      E
Get rhythm, when you get the blues,
        A   **E**
Come on get rhythm, when you get the blues,

A jumpin' rhythm makes you feel so fine

It'll shake all your trouble from your worried mind,
    A   **B7**   **E**
Get rhythm, when you get the blues.

	E	E	E	E		
Instrumental	E	E	E	E		
	A	A	A	A		
	E	E	E	E		
	A	A	B7	E	E	

Chorus 3

E
Get rhythm, when you get the blues,
           A   E
Come on get rhythm, when you get the blues,

Get a rock 'n' roll feelin' in your bones,

Put taps on your toes and get gone,
     A   B7   E
Get rhythm when you get the blues.

Verse 2

E
Well I sat and I listened to the shoe-shine boy,

And I thought I was gonna jump for joy,

Slapped on the shoe polish left and right,

He took his shoe-shine rag and he held it tight.

He stopped once to wipe the sweat away,

I said "You mighty little boy to be a-workin' that way".

He said "I like it" with a big wide grin

Kept on a poppin' and he say it again;

Chorus 4

E
Get rhythm, when you get the blues,
          A   E
Come on get rhythm, when you get the blues,

It only cost a dime, just a nickel a shoe,

It does a million dollars worth of good for you,
     A   B7   E
Get rhythm, when you get the blues.

(Ghost) Riders In The Sky

Words & Music by
Stan Jones

Am   C   F   Dm7

Capo first fret

Intro		Am		Am		Am		Am		Am	
		Am		Am		Am		Am		Am	

Verse 1
                                                      C
An old cowboy went riding out one dark and windy day,
   Am
Up - on a ridge he rested as he went along his way.

When all at once a mighty herd of red eyed cows he saw
F   **Dm7**   **Am**
Ploughing through the ragged skies, and up the cloudy draw.

Verse 2
                                                     C
Their brands were still on fire and their hooves were made of steel,
   Am
Their horns were black and shiny and their hot breath he could feel.

A bolt of fear went through him as they thundered through the sky
      F   **Dm7**   **Am**
For he saw the riders coming hard, and he heard their mournful cry.

Chorus 1
         C
Yippee - i - oh,
            Am
Yippee - i - aye,
F   **Am**
Ghost riders in the sky.

Instrumental		Am	Am	C	C	C	C	
		Am	Am	Am	Am	Am	Am	
		Am	Am	Am	Am	F	F	
		F	F	Dm7	Am	Am	Am	‖

Verse 3   Their faces gaunt, their eyes were blurred,

          C
Their shirts all soaked with sweat

    Am
He's riding hard to catch that herd, but he ain't caught 'em yet.

'Cause they've got to ride forever on that range up in the sky

    F   **Dm7**   **Am**
On horses snorting fire, as they ride on, hear their cry.

                           C
Verse 4   As the riders loped on by him he heard one call his name,

      Am
"If you want to save your soul from Hell a-riding on our range,

Then cowboy, change your ways today or with us you will ride,

F   **Dm7**   **Am**
Trying to catch the Devil's herd, a - cross these endless skies."

          C
Chorus 2   Yippee - i - oh,

           Am
Yippee - i - aye,

F   **Am**
Ghost riders in the sky.

F   **Am**
Ghost riders in the sky,

F   **Am**
Ghost riders in the sky.

Outro	‖: Am	Am	Am	Am		
	Am	Am	Am	Am	:‖	*Repeat to fade*

57

Girl Of The North Country

Words & Music by
Bob Dylan

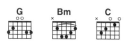

Intro | G | Bm | C | G | G | G | G   ‖

Verse 1

                            Bm C   **G**
If you're travelling   in the north country fair

                      Bm   C   **G**
Where the winds hit heavy   on the border - line.

             Bm C   **G**
Remember me   to one who lives there

            Bm C   **G**
For she once was a true love of mine.

Verse 2

      G   **Bm**   **C**   **G**
See for me that her hair's hanging down.

           Bm C   **G**
It curls and falls   all down her breast.

        Bm   **C**   **G**
See for me, that her hair's hanging down,

        Bm   **C**   **G**
That's the way I re - member her best.

Verse 3

      G   **Bm C**   **G**
If you go   where the snowflakes fall,

             Bm C   **G**
When the rivers freeze,   and summer ends

          Bm   **C**   **G**
Please see for me if she's wearing a coat so warm

        Bm   **C**   **G**
To keep her from the howling winds.

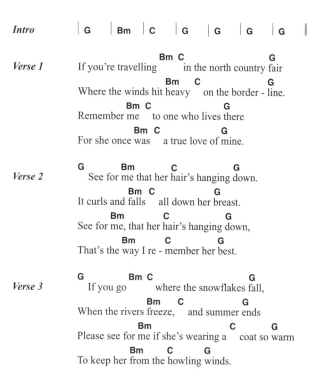

Verse 4

```
G           Bm              C            G
    If you're travelling in the north country fair
                    Bm          C         G
    Where the winds hit heavy on the borderline.
                Bm      C          G
    Please say hel - lo to the one who lives there,
                Bm    C        G
    For she was once a true love of mine.
```

Instrumental

```
| G      | Bm     | C      | G      |

| G      | Bm     | C      | G      ‖
```

Verse 5

```
G           Bm              C            G
    If you're travelling in the north country fair
                    Bm          C         G
    Where the winds hit heavy on the border - line.
            Bm    C            G
    Remember me to one who lives there
                Bm    C        G
    For she once was a true love of mine.
```

Outro

```
Bm          C                    G
    True love of mine, a true love of mine,
            Bm                  C
    A true love of mine, a true love of mine,
            G                  Bm
    A true love of mine, a true love of mine,
            C              G
    She was once a true love of mine.
```

Give My Love To Rose

Words & Music by
John R. Cash

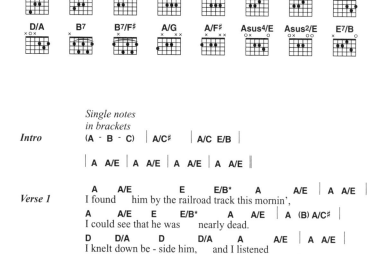

Intro

*Single notes
in brackets*
(A - B - C) | A/C♯ | A/C E/B |

| A A/E | A A/E | A A/E | A A/E ‖

Verse 1

         A   A/E   E   E/B*   A   A/E | A A/E
I found   him by the railroad track this mornin',
         A   A/E   E   E/B*   A   A/E | A (B) A/C♯ |
I could see that he was   nearly dead.
D   D/A   D   D/A   A   A/E | A A/E |
I knelt down be - side him,   and I listened
            B7   B/F♯   B7   B/F♯ E   E/B* | E
Just to hear the words the dyin' fellow said.

Verse 2

E/B   A   A/E   E   E/B* A   A/E | A A/E |
He said "They let me out of prison, out in Frisco,
         A   A/E   E   E/B*   A   A/E | A
For ten long years, I paid for what I'd done.
(B) A/C♯ D   D/A   D   D/A   A   A/E | A A/E |
I   was trying to get back to Louisi - ana,
         E   E/B*   E   E/B*   A   A/E | A (A - B) A/C♯ |
To see my Rose and get to know my son."

Chorus 1

```
D        D/A   D     D/A                A      A/E  | A  A/G  A/F♯ |
```
"Give my love to Rose, please won't you mister?

```
E     E/B*   E     E/B*       A        A/E   A    (A - B) A/C♯
```
Take her all my money,   tell her 'buy some pretty clothes'

```
D     D/A     D          D/A   A     A/E  | A  A/G
```
Tell my boy that Daddy's so proud of him,

```
A/F♯ E        E/B*  E      E/B*   A     A/E  | A  (A - B - C♮)
```
And don't for - get to give my love to Rose."

Link

```
| A/C♯   | A/C E/B  | A  A/E  | A  A/E  | A  A/E  | A  A/E  |
```

Verse 3

```
            A      A/E  E       E/B*   A     A/E  | A  A/E  |
```
"Won't you tell 'em I said 'thanks' for waitin' for me,

```
A     A/E   E      E/B*   A     A/E  | A  (B - C♯)
```
Tell my boy, to help his mom at home.

```
D     D/A    D    D/A      A     A/E  | A  A/E  |
```
Tell my Rose to try to find an - other,

```
  B7    B/F♯     B7          B/F♯
```
'Cause it ain't right that she should

```
    E   E/B* | E   (E - F♯ - G♯)
```
Live a - lone."

Verse 4

```
A      A/E    E        E/B*   A     Asus4/E  | A  Asus2/E |
```
"Mister, here's the bag with all my money,

```
A      A/E    E        E/B*   A     Asus4/E  | A  (A - B) A/C♯ |
```
It won't last them long, the way it goes.

```
D     D/A    D    D/A     A     A/E  | A  A/E  |
```
God bless you for findin' me this mornin',

```
   E             E/B*
```
Now don't forget

```
   E       E/B*   A      Asus4/E  | A  (A - B) A/C♯ |
```
To give my love to Rose."

Chorus 2

```
D        D/A   D     D/A                A      Asus2/E | A  A/G  A/F♯ |
```
"Give my love to Rose, please won't you mister,

```
E      E/B*   E      E/B*   A              A/E   A    (A - B) A/C♯
```
Take her all my money, tell her   'buy some pretty clothes'

```
D     D/A     D          D/A   A     Asus4/E  | A  A/G
```
Tell my boy that Daddy's so proud of him,

```
A/F♯ E        E/B*  E      E/B*  (C♯ - C♮ - B)  A
```
And don't for - get to give my love to   Rose."

Guess Things Happen That Way

Words & Music by
Jack Clement

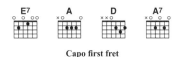

Capo first fret

Intro | E7 | A | E7 | A   E7 ‖

Verse 1
                          A   D
Well you asked me if I'll for - get my baby
A   D
   I guess I will,   someday,
A   E7   A   E7
   I don't like it but I guess things happen that way.

Verse 2
                       A   D
You asked me if I'll get along
A   D
   I guess I will,   some way,
A   E7   A   E7
   I don't like it but I guess things happen that way.

Bridge 1
D   A
God gave me that girl to lean on
E7   A   A7
   Then He put me on my own.
D   A
Heaven help me be a man
     E7   A
And   have the strength to stand alone.
                      E7   A
I don't like it but I guess things happen that way.

Link | **E7** | **A** | **E7** | **A** **E7** ‖

           A   **D**

Verse 3   You asked me if I'll miss her kisses,

           A   **D**

           I guess I will,   everyday

           A   **E7**   **A**   **E7**

           I don't like it but I guess things happen that way.

                A   **D**

Verse 3   You asked me if I'll find another

           A   **D**

           I don't know,   I can't say

           A   **E7**   **A**   **A7**

           I don't like it but I guess things happen that way.

           D   **A**

Bridge 2   God gave me that girl to lean on

           E7   **A**   **A7**

           Then He put me on my own.

           D   **A**

           Heaven help me be a man

              E7   **A**

           And   have the strength to stand alone.

                      E7   **A**

          I don't like it but I guess things happen that way.

Outro   ‖: **E7** | **A** | **E7** | **A**   :‖ *Repeat to fade*

Help Me

Words & Music by
Larry Gatlin

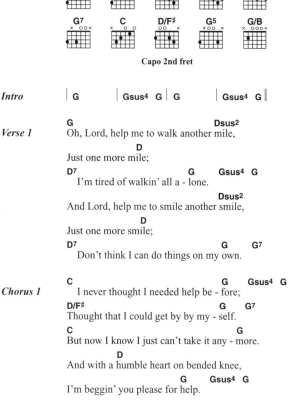

Capo 2nd fret

Intro | G | Gsus⁴ | G | G | Gsus⁴ G ‖

Verse 1

G   Dsus²
Oh, Lord, help me to walk another mile,

          D
Just one more mile;

D⁷   G   Gsus⁴ G
    I'm tired of walkin' all a - lone.

                                         Dsus²
And Lord, help me to smile another smile,

               D
Just one more smile;

D⁷   G   G⁷
    Don't think I can do things on my own.

Chorus 1

C   G   Gsus⁴ G
    I never thought I needed help be - fore;

D/F♯   G   G⁷
Thought that I could get by by my - self.

C   G
But now I know I just can't take it any - more.

                 D
And with a humble heart on bended knee,

                                  G   Gsus⁴ G
I'm beggin' you please for help.

Link

| C | C | G5 | G5 | |
| D7 | D | G | G | |

Verse 2

G   Dsus2
Oh, come down from your golden throne to me, to lowly me;

                        G   Gsus4 G
I need to feel the touch of your tender hand.

Release these chains of darkness,

        Dsus2
Let me see, Lord let me see;

               G   G7
Just where I fit into your master plan.

Chorus 2

C   G
 I never thought I needed help be - fore;

D   G   G7
 Thought that I could get by by my - self.

C   G
 But now I know I just can't take it any - more.

             D
And with a humble heart on bended knee,

            G
I'm beggin' you please for help.

     D
With a humble heart on bended knee,

               G   C G/B G
I'm beggin' you please for help.

Hey, Porter!

Words & Music by
John R. Cash

E   F#7   B7   A

Capo first fret

Intro | E | E | E | E   ‖

Verse 1   Hey, Porter, Hey Porter!

Would you tell me the time?

How much longer will it be
               F#7   **B7**
'Til we cross that Mason Dixon Line?
   E   **A**
At daylight will you tell that engineer to slow it down;
                    E
Or better still, just stop the train
 B7   **E**
'Cause I want to look a - round.

Verse 2   Hey, Porter! Hey Porter!

What time did you say?

How much longer will it be
               F#7   **B7**
'Till I can see the light of day?
      E
When we hit Dixie will you tell that engineer to ring his bell;
                    E
And ask everybody that ain't asleep
 B7   **E**
To stand right up and yell.

Solo 1 | E | E | E | E |
          | E | E | F#7 | B7 |
          | E | E | E | A |
          | A | E | B7 | E   ‖

Verse 3

E

Hey, Porter! Hey Porter!

It's getting light outside.

This old train is puffin' smoke

F#7   B7

And I have to strain my eyes.

E   A

But ask that engineer if he will blow his whistle please,

E

'Cause I smell frost on cotton leaves,

B7   E

And I feel that Southern breeze.

Verse 4

Hey, Porter! Hey, Porter!

Please get my bags for me,

I need nobody to tell me

F#7   B7

Now that we're in Tennes - see.

E   A

Go tell that engineer to make that lonesome whistle scream.

E

We're not so far from home

B7   E

So take it easy on the steam.

Solo 2

As Solo 1

Verse 5

E

Hey Porter! Hey Porter!

Please open up the door.

When they stop this train I'm gonna get off first

F#7   B7

'Cause I can't wait no more.

E   A

Tell that engineer I said, "Thanks a lot, and I didn't mind the fare.

E

I'm gonna set my feet on Southern soil

B7   E

And breathe that Southern air."

Outro

| E | E | E | E | E | E ‖

Highwayman

Words & Music by
Jimmy Webb

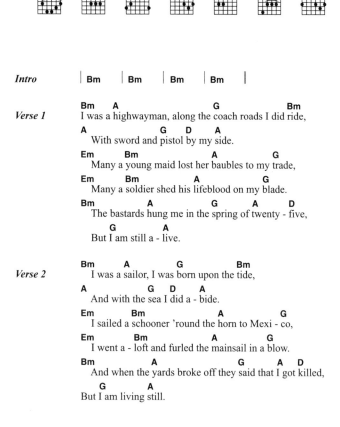

Bm   A   G   D   Em   A/C♯   D/F♯

Intro | Bm | Bm | Bm | Bm |

Verse 1
```
       Bm      A                    G              Bm
I was a highwayman, along the coach roads I did ride,
       A              G      D      A
   With sword and pistol by my side.
       Em      Bm               A           G
   Many a young maid lost her baubles to my trade,
       Em      Bm              A            G
   Many a soldier shed his lifeblood on my blade.
   Bm             A          G       A       D
   The bastards hung me in the spring of twenty - five,
          G           A
   But I am still a - live.
```

Verse 2
```
       Bm      A          G           Bm
   I was a sailor, I was born upon the tide,
   A              G      D      A
   And with the sea I did a - bide.
   Em         Bm               A              G
   I sailed a schooner 'round the horn to Mexi - co,
   Em          Bm              A           G
   I went a - loft and furled the mainsail in a blow.
   Bm               A            G      A    D
   And when the yards broke off they said that I got killed,
          G          A
   But I am living still.
```

Verse 3

Bm   A   G   Bm
I was a dam builder across the river deep and wide,

A   G   D   A
Where steel and water did col - lide.

Em   Bm   A   G
A place called Boulder on the wild Colo - rado,

Em   Bm   A   G
I slipped and fell into the wet concrete be - low.

Bm   A   G   A   D
They buried me in that great tomb that knows no sound,

   G   A
But I am still a - round,

G   A   D   A/C♯   Bm
I'll always be a - round and a - round and a - round

          A   G   D/F♯   Em G A D
And a - round and a - round and a - round.

Verse 4

Bm   A   G   Bm
I fly a starship across the universe di - vide,

A   G   D   A
And when I reach the other side,

Em   Bm   A   G
I'll find a place to rest my spirit if I can,

Em   Bm   A   G
Perhaps I may become a highwayman a - gain.

Bm   A   G   A   D
Or I may simply be a single drop of rain,

G   A
But I will re - main.

A   D   A/C♯   Bm
And I'll be back a - gain and a - gain and a - gain

          A   G   D/F♯   Em G A D
And a - gain and a - gain and a - gain.

Home Of The Blues

Words & Music by
Johnny Cash, Glen Douglas & Lillie McAlpin

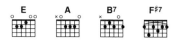

Intro | E | E   ‖

Verse 1
A   B7   E
Just around the corner there's heartaches,
A   B7   E
Down the street that losers use.
       A   B7   E
If you can wade in through the teardrops,
           A   B7   E
You'll find me at the home of the blues.

Verse 2
A   B7   E
I walk and cry while my heartbeat
           A   B7   E
Keeps time with the drag of my shoes.
          A   B7   E
The sun never shines through this window of mine,
          A   E   B7   E
It's dark at the home of the blues.

Bridge 1
E   A   E
Oh, but the place is filled with the sweetest memories,
B7   E
Memories so sweet that I cry.
A   E
Dreams that I've had left me feeling so bad,
F#7   B7
I just want to give up and lay down and die.

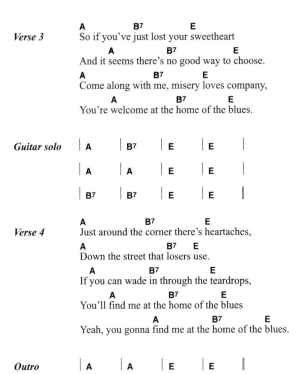

Verse 3

A   B7   E
So if you've just lost your sweetheart
      A   B7   E
And it seems there's no good way to choose.
A   B7   E
Come along with me, misery loves company,
      A   B7   E
You're welcome at the home of the blues.

Guitar solo

A	B7	E	E
A	A	E	E
B7	B7	E	E

Verse 4

A   B7   E
Just around the corner there's heartaches,
A   B7 E
Down the street that losers use.
  A   B7   E
If you can wade in through the teardrops,
    A   B7   E
You'll find me at the home of the blues
        A   B7   E
Yeah, you gonna find me at the home of the blues.

Outro

| A | A | E | E |

Hurt

Words & Music by
Trent Reznor

Am   C   Dsus2   Am7   Fadd9   C*   G

Intro | Am | C   Dsus2 | Am | C   Dsus2 ‖

Verse 1

Am   C   Dsus2   Am
I hurt my - self   to - day,

     C   Dsus2   Am
To see if I still   feel.

     C   Dsus2   Am
I focus   on the pain,

     C   Dsus2   Am
The only thing that's real.

     C   Dsus2   Am
The needle tears a   hole

     C   Dsus2   Am
The old fa - miliar   sting,

      C   Dsus2   Am
Try to kill it   all a - way,

     C   Dsus2   G
But I re - member every - thing.

Chorus 1

Am7   Fadd9   C*
What have I be - come?

          G
My sweetest friend.

Am7   Fadd9
Everyone I know,

         C*   G
Goes a - way in the end.

     Am7   Fadd9
And you could have it all,

G
My empire of dirt.

Am7   Fadd9
I will let you down,

G   Am | C   Dsus2 | Am | C   Dsus2 ‖
I will make you hurt.

Verse 2

Am   C   Dsus2   Am
      I wear this crown of thorns

     C   Dsus2   Am
Up - on my liars   chair

C   Dsus2 Am
Full of broken thoughts,

C   Dsus2   Am
I can - not   re - pair.

     C   Dsus2   Am
Be - neath the stains of time,

     C   Dsus2   Am
The feelings   disap - pear,

C   Dsus2   Am
You are someone else,

C   Dsus2   G
I am still right here.

Chorus 2

Am7   Fadd9 C*
What have I be - come?

          G
My sweetest friend.

Am7   Fadd9
Everyone I know,

      C*   G
Goes a - way in the end.

   Am7   Fadd9
And you could have it all,

G
My empire of dirt.

Am7   Fadd9
I will let you down,

G
I will make you hurt.

   Am7   Fadd9
If I could start a - gain,

  G
A million miles away,

Am7   Fadd9
I would keep my - self

G*
I would find a way.

I Am A Pilgrim

Traditional
Arranged by Roger McGuinn & Chris Hillman

A7   D   G   A   D7

Chorus 1

N.C. A7   D
I am a pilgrim and a stranger
          G   D
Travelling through this wearisome land.
                                G
I've got a home in that yonder city, good Lord,
          D   A   D
And it's not,   not made by hand.

Verse 1

D   A7   D   D7
I've got a mother, got a sister and a brother
          G   D
Who have gone this way be - fore.
                          G
I am determined to go and see them, good Lord,
          D A   D
Over on   that other shore.

Chorus 2

D   A7   D
I am a pilgrim and a stranger
          G   D
Travelling through this wearisome land.
                                G
I've got a home in that yonder city, good Lord,
          D   A   D
And it's not,   not made by hand.

Verse 2

    D   A⁷   D   D⁷

Now I'm goin' down to that river of Jordan,

        G   D

Just to bathe my wearisome soul.

                                   G

If I can just touch the hem of His garment, good Lord,

        D   A   D

Then I know   He'll take me home.

Chorus 3

    D   A⁷   D

I am a pilgrim and a stranger

             G   D

Travelling through this wearisome land.

                             G

I've got a home in that yonder city, good Lord,

        D   A⁷   D

And it's not,   not made by hand.

I Got Stripes

Words & Music by
Charlie Williams & John R. Cash

Capo first fret

Intro | B♭ | C   ‖

Verse 1
                        G
On a Monday, I was ar - rested (uh-huh)

                            C
On a Tuesday, they locked me in a jail (poor boy),

                        G
On a Wednesday, my trial was at - tested,

                                                  C
On a Thursday they said 'Guilty' and the Judge's gavel fell.

Chorus 1
                        G
I got stripes, stripes around my shoulders,

                    C
I got chains, chains around my feet,

                        G
I got stripes, stripes around my shoulders,

                                            C
And them chains, them chains they're about to drag me down.

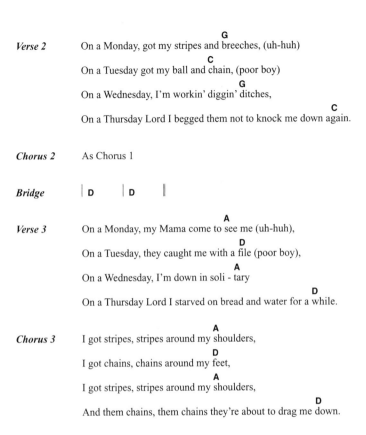

Verse 2   On a Monday, got my stripes and breeches, (uh-huh)
                    On a Tuesday got my ball and chain, (poor boy)
                    On a Wednesday, I'm workin' diggin' ditches,
                    On a Thursday Lord I begged them not to knock me down again.

Chorus 2   As Chorus 1

Bridge | **D** | **D**   ‖

Verse 3   On a Monday, my Mama come to see me (uh-huh),
                    On a Tuesday, they caught me with a file (poor boy),
                    On a Wednesday, I'm down in soli - tary
                    On a Thursday Lord I starved on bread and water for a while.

Chorus 3   I got stripes, stripes around my shoulders,
                    I got chains, chains around my feet,
                    I got stripes, stripes around my shoulders,
                    And them chains, them chains they're about to drag me down.

I Hung My Head

Words & Music by
Sting

[Chord diagrams: C, F, Am, Dm, G]

Intro | C | F | C | F | C | C ‖

Verse 1
C   F
Early one morning with time to kill,
 Am   F
I borrowed Jebb's rifle, and sat on the hill,
 C   F
I saw a lone rider crossing the plain,
 Am   F
I drew a bead on him to practice my aim.
Dm   G
My brother's rifle went off in my hand,
        C
A shot rang out a - cross the land,
  F   Am
The horse, he kept runnin',the rider was dead,
 C   F
I hung my head, I hung my head.

Link 1 | C | C | C | C ‖

Verse 2
C   F
I set off runnin' to wake from the dream,
Am   F
My brother's rifle went into the sheen,
C   F
I kept on running in - to the South Lands,
  Am   F
And that's where they found me, my head in my hands.
  Dm   G
The Sheriff he asked me, why had I run?
        C
And then it came to me, just what I had done,
  F   Am
And all for no reason, just one piece of lead,
 C   F
I hung my head, I hung my head.

78

| *Link 2* | | C | | C | | C | | C | ‖ |

Verse 3

C   F
Here in the courthouse, the whole town was there,
Am   F
I see the judge, high up in his chair,
  C   F
'Ex - plain to the court room what went through your mind,
  Am   F
And we'll ask the jury what verdict they find.'
Dm   G
I felt the power of death over life,
       C
I orphaned his children, I widowed his wife,
F   Am
I begged their forgiveness, I wish I was dead,
 C   F
I hung my head, I hung my head,
 C   F
I hung my head, I hung my head.

| *Link 3* | | C | | C | | C | | C | ‖ |

Verse 4

C   F
Early one morning, with time to kill,
Am   F
I see the gallows up on the hill,
  C   F
And out in the distance, a trick of the brain
  Am   F
I see a lone rider crossin' the plain,
   Dm   G
And he'd come to fetch me to see what they'd done,
        C
And we'll ride together 'til Kingdom come,
 F   Am
I pray for God's mercy, 'cause soon I'll be dead,
 C   F
I hung my head, I hung my head,
 C   F
I hung my head, I hung my head.

| *Outro* | ‖: C | | F | | C | | F | :‖ C | | ‖ |

I See A Darkness

Words & Music by
Will Oldham

Bb F Dm C Am

Intro | Bb | F | Bb | F | F |

Verse 1
Dm   F
  Well, you're my friend,
Bb   F | Bb |
  And can you see
Dm   C Dm   C Dm
  Many times,   we've been out drinkin'
                        C   Bb | Bb |
Many times we shared our thoughts.
Dm   C   Dm
  But did you ever, ever notice
                    C Bb | Bb |
The kind of thoughts I   got?
Am   Dm
  Well you know I have a love,
                      Bb | Bb |
A love for everyone I know,
Am   Dm
  And you know I have a drive
                  C Bb | Bb |
To live, I won't let go.
Dm
  Well can you see, its opposition
C   Bb | Bb |
Comes risin' up sometimes,
Dm
  That it's dreadful, and position
                  C Bb | Bb |
Comes blacking in my mind.

Chorus 1
                      F
And that I see a darkness,
                  Bb
And that I see a darkness,

cont.

      F
And that I see a darkness,

      B♭
And that I see a darkness.

          F
Did you know how much I love you?

         B♭
Is there hope that somehow you

      F | **F** |
Can save me from this darkness?

   Dm

Verse 2   Well I hope that someday buddy,

        F
We have peace in our lives,

    Dm   **F**
Together, or a - part, alone, or with our wives.

      Dm
And we can stop our whoring,

      B♭
And pull the smiles in - side,

      F
And light it up for ever,

    Am
And never go to sleep,

    C
My best unbeaten brother,

   Am | **B**♭ |
This isn't all I see.

B♭   **F**

Chorus 2   Or will I see a darkness,

    B♭
Oh no I see a darkness,

    F
Oh no I see a darkness,

    B♭
Oh no I see a darkness.

          F
Did you know how much I love you?

        B♭
Is there hope that somehow you

      F
Can save me from this darkness?

I Still Miss Someone

Words & Music by
John R. Cash & Roy Cash Jr.

Capo first fret

	D E A
Intro	(I still miss some - one.)

Verse 1

                    D   E
At my door, the leaves are fallin',
          D   E   A
The cold wild wind will come.
                   D   E
Sweethearts walk by to - gether,
        D   E   A
And I still miss some - one.

Verse 2

            D E
I go out on a party,
            D   E   A
And look for a little fun,
              D   E
But I find a darkened corner,
          D   E   A
'Cause I still miss some - one.

Bridge 1

          D   E   A
No I never got over those blue eyes,
      D   E   A
I see them every - where,
      D   E   A
I miss those arms that held me,
         D   E   A
When all the love was there.

                        D   E
Verse 3   I wonder if she's sorry,

                        D   E   A
                 For leaving what we'd be - gun,

                                    D   E
                 There's someone for me somewhere

                      D   E   A
                 And I still miss some - one.

Instrumental | D | E | A | A   ‖

                      D   E   A
                 (I still miss some - one.)

                        D   E   A
Bridge 2   No I never got over those blue eyes,

                      D   E   A
                 I see them every - where,

                      D   E   A
                 I miss those arms that held me,

                        D   E   A
                 When all the love was there.

                        D   E
Verse 4   I wonder if she's sorry,

                        D   E   A
                 For leaving what we'd be - gun,

                                    D   E
                 There's someone for me somewhere

                      D   E   A
                 And I still miss some - one.

                 D   E   A
Outro   (I still miss some - one.)

83

I Walk The Line

Words & Music by
Johnny Cash

| A | D | E7 | E | B7 | A7 | G |

Capo first fret

Intro | A | A | D | D | A | A | E7 | E7 | B7 | B7 |

| E | E | E | E | E | E | E | E | E ‖

Verse 1

        B7   E
I keep a close watch on this heart of mine

        B7   E
I keep my eyes wide open all the time.

      A   E
I keep the ends out for the tie that binds,

        B7   E
Because you're mine, I walk the line.

Link 1 | A | A | A | A | A | A | A | A ‖

Verse 2

       E7   A
I find it very, very easy to be true

       E7   A
I find my - self alone when each day is through

      D   A
Yes I'll ad - mit that I'm a fool for you,

       E7   A
Because you're mine, I walk the line.

Link 2 | D | D | D | D | D | D | D | D ‖

84

Verse 3

       A7   **D**
As sure as night is dark and day is light,

       A7   **D**
I keep you on my mind both day and night.

          G   **D**
And happi - ness I've known proves that it's right

           A7   **D**
Because you're mine, I walk the line.

Link 3 | A | A | A | A | A | A | A | A ‖

Verse 4

          E7   **A**
You've got a way to keep me on your side

          E7   **A**
You give me cause for love that I can't hide.

          D   **A**
For you I know I'd even try and turn the tide

          E7   **A**
Because you're mine, I walk the line.

Link 4 | E | E | E | E | E | E | E | E ‖

Verse 5

          B7   **E**
I keep close watch on this heart of mine,

          B7   **E**
I keep my eyes wide open all the time.

          A   **E**
I keep the ends out for the tie that binds,

          B7   **E**
Because you're mine, I walk the line.

Outro ‖: E | E | E | E :‖ *Repeat to fade*

I'm A Drifter

Words & Music by
Dolly Parton

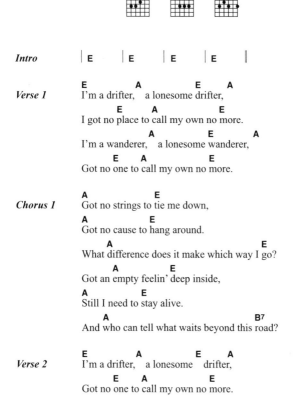

Intro | E | E | E | E ‖

Verse 1

E   A   E   A
I'm a drifter,   a lonesome drifter,
       E   A   E
I got no place to call my own no more.
             A   E   A
I'm a wanderer,   a lonesome wanderer,
    E   A   E
Got no one to call my own no more.

Chorus 1

A   E
Got no strings to tie me down,
A   E
Got no cause to hang around.
   A   E
What difference does it make which way I go?
   A   E
Got an empty feelin' deep inside,
A   E
Still I need to stay alive.
   A   B7
And who can tell what waits beyond this road?

Verse 2

E   A   E   A
I'm a drifter,   a lonesome drifter,
      E   A   E
Got no one to call my own no more.

Chorus 2

    A   E
Got no strings to tie me down,

    A   E
Got no cause to hang around.

      A   E
What difference does it make which way I go?

      A   E
Got an empty feelin' deep inside,

  A   E
Still I need to stay alive.

     A   B7
And who can tell what waits beyond this road?

Verse 3

  E   A   E   A
I'm a drifter,   a lonesome drifter,

       E   A   E
Got no one to call my own no more.

  A   E
Got no one to call my own no more.

I'm Free From The Chain Gang Now

Words by Saul Klein & Louis Herscher
Music by Louis Herscher

Capo first fret

| Intro | | G | | C | | G | | C/E | |
| | | G | | D/F♯ | | G | | G | |

Verse 1

(G)   C   G
I got rid of the shackles that bound me
                              A7   D
And the guards that were always a - round me.
             G   C   G   C/E
There were tears on the mail mother wrote me in jail,
             G   D/F♯   G
But I'm free from the chain gang now.

Verse 2

(G)   C   G
All the years I was known and re - spected,
                          A7   D
Till one day I was wrongly sus - pected.
             G   C   G   C/E
I was shackled in chains in the cold, freezing rain,
             G   D/F♯   G
But I'm free from the chain gang now.

| Instr. | ‖: G | | C | | G | | C/E | |
| | | G | | D/F♯ | | G | | G | :‖ |

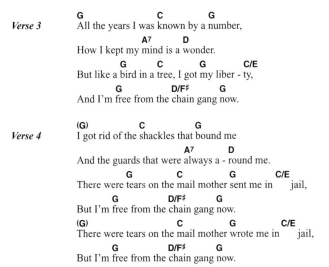

               G   C   G

Verse 3   All the years I was known by a number,

                        A7   D

How I kept my mind is a wonder.

                  G   C   G   C/E

But like a bird in a tree, I got my liber - ty,

                    G   D/F♯   G

And I'm free from the chain gang now.

               (G)   C   G

Verse 4   I got rid of the shackles that bound me

                             A7   D

And the guards that were always a - round me.

                  G   C   G   C/E

There were tears on the mail mother sent me in   jail,

                G   D/F♯   G

But I'm free from the chain gang now.

             (G)   C   G   C/E

There were tears on the mail mother wrote me in   jail,

                G   D/F♯   G

But I'm free from the chain gang now.

It Ain't Me Babe

Words & Music by
Bob Dylan

G   C   Am   D

Intro

| G | G | G | G |
| C | G | C | G |
| G | G | G | G ‖

Verse 1

            Am
Go away from my window,
G   **D**   **G**
Leave at your own chosen speed.

            Am
I'm not the one you want babe,
   G   **D**   **G**
I'm not the one you need.

           Am
You say you're looking for someone
        G   **Am**
Who's never weak, but always strong
     G   **Am**
To pro - tect you and de - fend you
      G   **Am**
Whether you are right or wrong.
      C   **D**
Some - one to open each and every door,

Chorus 1

       G
But it ain't me babe,
     C
No, no, no,
   G
It ain't me babe,
   C   **D**   **G**
It ain't me you're looking for babe.

| *Link 1* | | C | | G | | C | | G | | G | | G | | G | | G | ‖ |

                          Am
Verse 2   Go lightly from the ledge babe,

            G
          Go lightly on the ground.

                      Am
          I'm not the one you want babe,

            G
          I'll only let you down.

                          Am
          You say you're looking for someone

             G   **Am**
          Who'll promise never to part,

             G   **Am**
          Some - one to close his eyes for you

             G   **Am**
          Some - one to close his heart.

             C   **D**
          Some - one to die for you and more,

Chorus 2   As Chorus 1

| *Link 2* | | C | | G | | C | | G | | G | | G | | G | | G | ‖ |

                          Am
Verse 3   You say you're looking for someone

               G   **Am**
          To pick you up each time you fall.

             G   **Am**
          To gather flowers constantly,

             G   **Am**
          And to come each time you call,

                C   **D**
          And will love you for your life and nothing more,

Chorus 3   As Chorus 1

Outro		C		G		C		G		
		G		G		G		G		G	‖ *to fade*

If I Were A Carpenter

Words & Music by
Tim Hardin

Intro | A7 | A7 | A7 | A7 | A7 ‖

Verse 1

  A   G   D
If I were a carpenter

            A
And you were a lady,

                 G   D
Would you marry me anyway?

                A
Would you have my baby?

           G   D
If you were a carpenter

          A
And I were a lady,

        G   D
I'd marry you anyway,

        A
I'd have your baby.

        G   D
If a tinker was my trade,

         A
Would I still find you?

           G   D
I'd be carryin' the pots you made,

        A
Followin' be - hind you.

Chorus 1

    G   **A**
Save your love through loneliness,

D   **A**
Save your love through sorrow.

          G   **D**
I gave you my only - ness,

                 A   **A/G** **D/F♯**
Gimme your to - morrow.

Instr. 1

| **A** | **A** | **G** | **D** | |
| **A** | **D** | **D** | **A** | |
| **D** | **D** | **A⁷** | **A⁷** | **A⁷** | **A⁷** ‖

Verse 2

A   **G**   **D**
If I were a miller

            A
And a mill wheel grindin',

                   G   **D**
Would you miss your coloured blouse

               A
And your soft shoe shinin'?

        G   **D**
If you were a miller

            A
At a mill wheel grindin',

            G   **D**
I'd not miss my coloured blouse

           A
And my soft shoe shinin'.

Chorus 2   As Chorus 1

Instr. 2

| **A** | **D** | **D** | **A** | |
| **D** | **D** | **A** | **A** | ‖

93

A   G   D

If I worked my hands in wood,

               A

Would you still love me?

              G   D

I'd answer you, "Yes I would."

                         A

And would you not be a - bove me?

       G   D

If I were a carpenter,

             A

And you were a lady.

          G   D

I'd marry you anyway,

          A

I'd have your baby.

G   A

Save your love through loneliness,

D   A

Save your love through sorrow.

             G   D

I gave you my only - ness,

             A   A/G D/F♯

Gimme your to - morrow.

A	A	G	D	
A	D	D	A	
D	D	A	A	‖ *Fade out*

Jackson

Words & Music by
Billy Edd Wheeler & Gaby Rogers

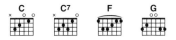

| C | C7 | F | G |

Intro | C | C | C | C |

          | C | C | C | C   ‖

Verse 1   We got married in a fever,

Hotter than a pepper sprout,

We been talkin' 'bout Jackson
C7
Ever since the fire went out,
            F
I'm goin' to Jackson,
                   C
I'm goin' to mess a - round.
                  F
Yeah, I'm goin' to Jackson,
G   **C**
   Look out Jackson Town.

Verse 2   Well go on down to Jackson,

Go ahead and wreck your health.

Go play your hand you big talkin' man,

       C7
And make a big blue of your self.

     F
Yeah, go to Jackson,

      C
Go comb your hair,

              F
Honey I'm goin' to snowball Jackson,

G   **C**
  See if I care!

Verse 3   When I breeze into that city,

People gonna stoop and bow (ha!)

All them women gonna make me
C7
Teach them what they don't know how.

       F
Oh I'm goin' to Jackson,

         C
You turn-a loosen my coat,

       F
'Cause I'm goin' to Jackson,

G   **C**
  "Goodbye" that's all she wrote.

Verse 4   But they'll laugh at you in Jackson,

And I'll be dancin' on a Pony Keg.

They'll lead you 'round town like a scalded hound,
C7
With your tail tucked between your legs,
F
Yeah, go to Jackson,
C
You big-talkin' man.
F
And I'll be waitin' in Jackson,
G   **C**
   Behind my Japan Fan.

Verse 4   ‖: Well now, we got married in a fever,

Hotter than a pepper Sprout,

We've been talkin' 'bout Jackson,
C7
Ever since the fire went out.
F
I'm goin' to Jackson,
C
And that's a fact.
F
Yeah, we're goin' to Jackson,
G   **C**
   Ain't never comin' back. :‖ *Repeat to fade*

Like The 309

Words & Music by
Johnny Cash

A5   Dm   E5

Verse 1

A5
    It should be a while before I see Dr. Death,

So it would sure be nice if I could get my breath.

Well, I'm not the crying nor the whining kind,

Till I hear the whistle of the 3 – 0 – 9.
          Dm   **A5**
Of the 3 – 0 – 9, of the 3 – 0 – 9.
                 E5   **A5**
Put me in my box on the 3 – 0 – 9.

Verse 2

A5
Take me to the depot, put me to bed,
                         E5   **A5**
Blow an electric fan on my gnarly old head.

Everybody take a look, see I'm doing fine,
                E5   **A5**
Then load my box on the 3 – 0 – 9.
          Dm   **A5**
On the 3 – 0 – 9, on the 3 – 0 – 9,
                E5   **A5**
Put me in my box on the 3 – 0 – 9.

Instr. 1

| A5 | A5 | A5 E5 | A5 | |
| A5 | A5 | A5 E5 | A5 | A5 |

Verse 3

A5
Hey sweet baby, kiss me hard,
             E5   **A5**
Draw my bath water, sweep my yard.

Give a drink of my wine to my Jersey cow,
                      E5   **A5**
I wouldn't give a hoot in hell for my journey now
          Dm   **A5**
On the 3 – 0 – 9, on the 3 – 0 – 9.

Verse 4

A5
I hear the sound of a railroad train,

                            E5   **A5**
The whistle blows and I'm gone a - gain.

It will take me higher than a Georgia pine,

                         E5   **A5**
Stand back children, it's a 3 – 0 – 9.

          Dm   **A5**
It's a 3 – 0 – 9, it's a 3 – 0 – 9.

                   E5   **A5**
Put me in my box on the 3 – 0 – 9.

Instr. 2

| **A5** | **A5** | **A5** **E5** | **A5** | |

| **A5** | **A5** | **A5** **E5** | **A5** | **A5** ‖

Verse 5

A5
A chicken in the pot and a turkey in the corn,

                       E5   **A5**
Ain't felt this good since Jubilee morn'.

Talk about luck, well, I got mine,

                   E5   **A5**
Has me comin' down like the 3 – 0 – 9.

Verse 6

A5
Write me a letter, sing me a song,

                 E5 **A5**
Tell me all about it, what I did wrong.

Meanwhile, I will be doing fine,

                 E5   **A5**
Then load my box on the 3 – 0 – 9.

          Dm   **A5**
On the 3 – 0 – 9, on the 3 – 0 – 9.

                 E5   **A5**
Goin' to get out of here on the 3 – 0 – 9.

Outro

| **A5** | **A5** | **A5** | **A5** ‖ *Repeat to fade*

Long Black Veil

Words & Music by
Danny Dill & Marijohn Wilkin

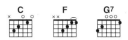

Intro | C | C |

Verse 1
C
Ten years ago on a cold dark night
G7   F   C
    Someone was killed 'neath the town hall lights.

There were few at the scene, but they all agreed
                G7   F   C
That the slayer who ran looked a lot like me.

Chorus 1
C   F   C   F   C
Now she walks these hills in a long black veil,
     F   C   F   C
She visits my grave when the night winds wail.
                  F   C
Nobody knows,   nobody sees,
F   G7   C
    Nobody knows but me.

Verse 2
C
The scaffold was high and eternity near,
G7   F   C
    She stood in the crowd and   shed not a tear.

But some times at night, when the cold wind moans,
       G7   F   C
In a long black veil, she cries over my bones.

Chorus 2   As Chorus 1

         C
Verse 3   The judge said "Son, what is your alibi?
              G7   F   C
If you were somewhere else then you won't have to die."

I spoke not a word, though it meant my life,
    G7   F   C
I'd been in the arms of my best friend's wife.

Chorus 3   As Chorus 1

    C   F   C
Outro   Nobody knows,   nobody sees,
    F   G7   C
      Nobody knows but me.

Long-Legged Guitar Pickin' Man

Words & Music by
Marshall Grant

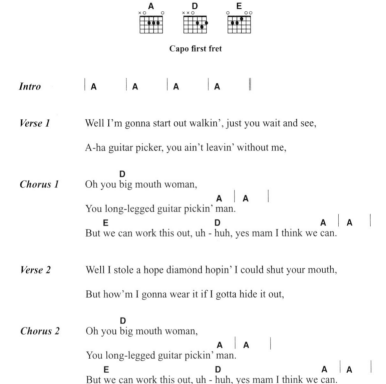

Capo first fret

Intro | A | A | A | A   ‖

Verse 1   Well I'm gonna start out walkin', just you wait and see,

A-ha guitar picker, you ain't leavin' without me,

               D
Chorus 1   Oh you big mouth woman,
                               A | A |
You long-legged guitar pickin' man.
        E   D   A | A |
But we can work this out, uh - huh, yes mam I think we can.

Verse 2   Well I stole a hope diamond hopin' I could shut your mouth,

But how'm I gonna wear it if I gotta hide it out,

               D
Chorus 2   Oh you big mouth woman,
                                 A | A |
You long-legged guitar pickin' man.
        E   D   A | A |
But we can work this out, uh - huh, yes mam I think we can.

Instrumental	A	A	A	A	
	D	D	A	A	
	E	D	A	A	

Verse 3   Well I bought you a first class ticket for a luxury liner cruise,

I got out in that ocean looked around and there was you,

Chorus 3
       D
Oh you big mouth woman,
                 A | A |
You long-legged guitar pickin' man.
    E   D   A
But we can work this out, uh - huh, yes mam I think we can.

Verse 4   I bought you a big long limousine,

But I don't want no car,

I gave my love and everything,

But you're still what you are,

Chorus 4
       D
You're just a big mouthed woman,
                 A | A |
You're a long-legged guitar pickin' man.
    E   D   E   A
But we can work this out, uh - huh, yes mam I think we can.

Outro   ‖: A | A   :‖   *Repeat to fade*

The Man In Black

Words & Music by
John R. Cash

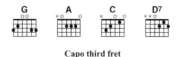

Capo third fret

Intro　　| G　　| G　　| G　　| G　　| G　　||

Verse 1

Well, you wonder why I always dress in black,

                                        A

Why you never see bright colours on my back,

      C   G   C   G

And why does my ap - pearance seem to have a sombre tone?

      A   D7

Well, there's a reason for the things that I have on.

Verse 2

    G

I wear the black for the poor and the beaten down,

                                A

Livin' in the hopeless, hungry side of town,

      C   G   C   G

I wear it for the prisoner who has long　paid for his crime,

      A   A7   D7

But is there because he's a victim of the times.

Verse 3

    G

I wear the black for those who've never read,

                            A

Or listened to the words that Jesus said,

      C   G   C   G

A - bout the road to happiness through love and chari - ty,

      A   A7   D7

Why, you'd think He's talking straight to you and me.

Verse 4

        G
Well, we're doin' mighty fine, I do suppose,

                             A
In our streak of lightnin' cars and fancy clothes,

C   **G**   **C**   **G**
But just so we're re - minded of the ones who are held back,

A   **D7**
Up front there ought a be a man in black.

Verse 5

       G
I wear it for the sick and lonely old,

                           A
For the reckless ones whose bad trip left them cold,

C   **G**   **C**   **G**
I wear the black in mournin' for the lives that could have been,

A   **D7**
Each week we lose a hundred fine young men.

Verse 6

       G
And I wear it for the thousands who have died,

                     A
Believin' that the Lord was on their side,

C   **G**   **C**   **G**
I wear it for an - other hundred thousand who have died,

A   **D7**
Be - lievin' that we all were on their side.

Verse 7

       G
Well, there's things that never will be right I know,

                         A
And things need changin' everywhere you go,

C   **G**   **C**   **G**
But 'til we start to make a move to make a few things right,

A   **D7**
You'll never see me wear a suit of white.

Verse 8

       G
Oh, I'd love to wear a rainbow every day,

                     A
And tell the world that everything's O - K,

C   **G**   **C**   **G**
But I'll try to carry off a little darkness on my back,

A   **D7**
'Til things are brighter, I'm the man in black.

Man In White

Words & Music by
Johnny Cash

G   C   A   D   B7   E   F   D7

Intro | G | G | G | G   ‖

Verse 1
```
G                      C       G
I studied at the feet of a master,
C        G              A            D
Gamaliel we called him, the beauty of the law.
           C
I was born of the Tribe of Benjamin, I was a Pharisee
            G
         C              G       D        G
And I could quote from memory the Holy Tor - ah.
```

Verse 2
```
G                      C            G
That day that the Naza - rene was brought to trial,
C        G              A                     D
It was on a Sabbath Eve, there was a earthquake when He died.
            C                          G
Just an - other peasant preacher who came up from Galilee,
          C              G        D         G
Blas - pheming trouble - maker, we let Him be cruci - fied.
```

Verse 3
```
G                          C            G
Then I thought that I would hear no more a - bout Him,
          C                  G
But His friends found His tomb empty,
                A             D
Claimed that He rose from the dead.
              C
Then they say He walked among them
              G
With the nail wounds in His hands,
          C         G           D              G
That King upon a donkey with a thorn crown on His head.
```

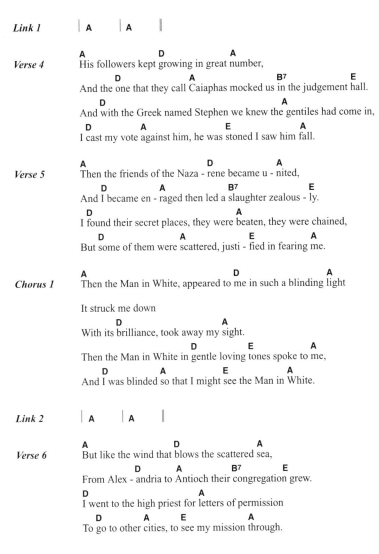

Link 1

  | A | A   ‖

Verse 4

A   D   A
His followers kept growing in great number,

      D   A   B7   E
And the one that they call Caiaphas mocked us in the judgement hall.

    D   A
And with the Greek named Stephen we knew the gentiles had come in,

    D   A   E   A
I cast my vote against him, he was stoned I saw him fall.

Verse 5

A   D   A
Then the friends of the Naza - rene became u - nited,

    D   A   B7   E
And I became en - raged then led a slaughter zealous - ly.

    D   A
I found their secret places, they were beaten, they were chained,

    D   A   E   A
But some of them were scattered, justi - fied in fearing me.

Chorus 1

A   D   A
Then the Man in White, appeared to me in such a blinding light

It struck me down

    D   A
With its brilliance, took away my sight.

                  D   E   A
Then the Man in White in gentle loving tones spoke to me,

    D   A   E   A
And I was blinded so that I might see the Man in White.

Link 2

  | A | A   ‖

Verse 6

A   D   A
But like the wind that blows the scattered sea,

    D   A   B7   E
From Alex - andria to Antioch their congregation grew.

D   A
I went to the high priest for letters of permission

    D   A   E   A
To go to other cities, to see my mission through.

Verse 7

A   D   A
Six days on the hot road to Da - mascus,

         D   A   B7   E
And just outside the city in the middle of the day,

     D   A
A great unearthly light struck and overpowered me,

        D   A   E   A
Pro - strate on the hot road, I was blinded where I lay.

Verse 8

A   D   A
Then I thought I heard the rushing of great waters

        D   A   B7   E
And a multitude of angels singing sweet and heaven - ly.

        D   A
And through the sound of wind, came a voice so soft and kind,

          D   A   E   A
Meant for only me to hear, "Saul, why do you persecute me?"

Verse 9

A   D   A
As I lay there on the ground in my blindness,

        D   A   B7   E
He asked me once a - gain, and sudden - ly the voice I knew.

        D   A
So finally I managed, a trembling response,

         D   A   E   A
"Who are you Lord?", I asked Him, but I already knew.

Link 3 | C | C   ‖

Verse 10

C   F   C
"I am Jesus of Nazareth" the voice answered,

       F   C   D7   G
"A - rise go to Da - mascus on the street called Straight will be

    F   C
A place where you will wait for my servant Ananais,

       F   C   G   C
He will open up your eyes, you'll be a witness unto me."

Verse 11

      C   F   C
So now I live to serve my master,

    F   C   D7   G
As zealous in his service as I once was as His foe.

    F   C
And keeping His commandments given on Damascus Road,

   F   C   G   C
I go to all the world and I let the whole world know.

Chorus 2

C   F   C
That the Man in White appeared to me in such a blinding light,

It struck me down.

          F   C
And with it's brilliance, took away my sight.

                    F   G   C
Then the Man in White in gentle loving tones spoke to me,

   F   C   G   C
And I was blinded so that I might see the Man in White.

   F   C   G   C
And I was blinded so that I might see the Man in White.

The Man in White.

The Mercy Seat

Words by Nick Cave
Music by Nick Cave & Mick Harvey

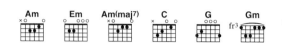

Single note progression
between all chords:
Em *to* **Am: E - F♯ - G♮ - G♯**
Am *to* **Em: G♮ - F♮**

Intro (E - F♯ - G - G♯) │ Am (G♯ - F♯)

    Em   **Am**
It all began, when they took me from my home,

   Em   **Am**
And put me on Death Row,

                     Em   **Am**   **Em**
A crime for which I'm totally innocent you know.

Verse 1

   Am   **Em**
   I began to warm and chill,

Am   **Em**
   To objects,   and their fields,

Am   **Em**
   A ragged cup, a twisted mop,

Am   **Em**
   The face of Jesus in my soup.

Am   **Em**
   Those sinister dinner deals

Am   **Em**
   The meal trolley's wicked wheels,

Am   **Em**
   A hooked bone ris - ing from my food

Am   **Em**
   And all things either good or ungood.

Chorus 1

Am
And the mercy seat is waiting

Am(maj⁷)
And I think my head is burning

C
And in a way I'm yearning

G   Gm
To be done with all this weighing of the truth.

B♭
An eye for an eye, and a tooth for a tooth

F/A
And anyway I told the truth,

‖: Am (G⁻F) Em (E⁻F♯⁻G⁻G♯) :‖
And I'm not afraid to die.

Chorus 2

Am   Am(maj⁷)
I hear stories from the chamber

C
Christ was born into a man - ger,

G
And like some ragged stranger he died upon the cross.

Gm   B♭
Might I say it seems so fitting in its way,

F/A
He was a carpenter by trade,

‖: Am (G⁻F) Em (E⁻F♯⁻G⁻G♯) :‖
Or at least that's what I'm told.

Verse 2

Am   Em   Am   Em
My kill hand's tattooed E.V.I.L.   across its brother's fist

Am   Em   Am   Em
That filthy five!   They did noth - ing to challenge or re - sist.

Chorus 3

Am   Am(maj⁷)
In Heaven His throne is made of gold,

C
The ark of His Testament is stowed

G
A throne from which I'm told all history does unfold.

Gm   B♭
It's made of wood and wire and my body is on fire

F/A   Am
And God is never far a - way.

111

                                        Am(maj7)
Chorus 4   Into the mercy seat I climb
                                                    C
                  My head is shaved, my head is wired
                                              G
                  And like a moth that tries to enter the bright eye
                      Gm   **B♭**
                  I go shuffling out of life just to hide in death awhile
                  F/A   **Am**
                     And anyway I never lied.

                  Am
Chorus 5   And the mercy seat is waiting
                  Am(maj7)
                     And I think my head is burning
                  C
                     And in a way I'm yearning
                        G   **Gm**
                  To be done with all this weighing of the truth.

                  An eye for an eye, and a tooth for a tooth
                                  F/A
                  And anyway I told the truth,
                                      Am
                  And I'm not afraid to die.

                                          F/A
Chorus 6   And the mercy seat is burning
                  Am(maj7)
                     And I think my head is glowing
                  C
                     And in a way I'm hoping
                        G   **Gm**
                  To be done with all this twisting of the truth.
                                          B♭
                  An eye for an eye, and a tooth for a tooth
                                                    Am
                  And anyway there was no proof, and I'm not afraid to die.

Chorus 7   And the mercy seat is glowing

Am(maj⁷)
   And I think my head is smoking

C
   And in a way I'm hoping

    G   **Gm**
To be done with all these looks of disbelief.

A life for a life

          B♭
And a truth for a truth

               F/A
And I've got nothing left to lose

          Am
And I'm not afraid to die.

Chorus 8   And the mercy seat is smoking,

Am(maj⁷)
   And I think my head is melting

C
   And in a way that's helping

    G   **Gm**
To be done with all this twisting of the truth,

                   B♭
An eye for an eye and a tooth for a tooth,

               F/A   **Am**
And anyway I told the truth, but I'm afraid I told a lie.

Outro | Am(maj⁷) | C | G | Gm | B♭ | F/A |

‖: Am | Am(maj⁷) | C | G |

| Gm | B♭ | F/A :‖ Am ‖

Next In Line

Words & Music by
Johnny Cash

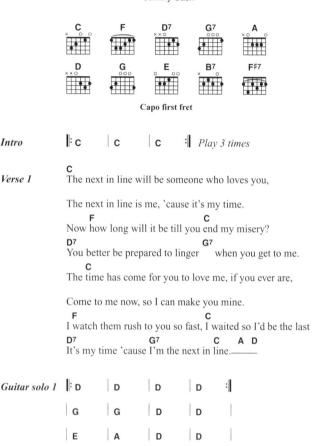

Capo first fret

Intro ‖: C | C | C :‖ *Play 3 times*

Verse 1

    C
The next in line will be someone who loves you,

The next in line is me, 'cause it's my time.

    F   **C**
Now how long will it be till you end my misery?
D7   **G7**
You better be prepared to linger   when you get to me.

    C
The time has come for you to love me, if you ever are,

Come to me now, so I can make you mine.

    F   **C**
I watch them rush to you so fast, I waited so I'd be the last
D7   **G7**   **C**   **A D**
It's my time 'cause I'm the next in line.——

Guitar solo 1 ‖: D | D | D | D :‖

                   | G | G | D | D |

                   | E | A | D | D |

                   | D | D | D ‖

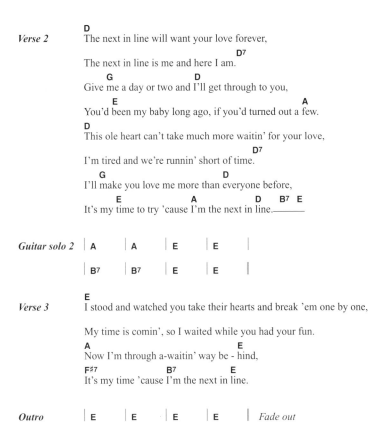

Verse 2

    D
The next in line will want your love forever,

                                  D⁷
The next in line is me and here I am.

    G   **D**
Give me a day or two and I'll get through to you,

      E   **A**
You'd been my baby long ago, if you'd turned out a few.

    D
This ole heart can't take much more waitin' for your love,

                            D⁷
I'm tired and we're runnin' short of time.

    G   **D**
I'll make you love me more than everyone before,

      E   **A**   **D** **B⁷** **E**
It's my time to try 'cause I'm the next in line.————

Guitar solo 2 | **A** | **A** | **E** | **E** |

                    | **B⁷** | **B⁷** | **E** | **E**   ‖

Verse 3

    E
I stood and watched you take their hearts and break 'em one by one,

My time is comin', so I waited while you had your fun.

    A   **E**
Now I'm through a-waitin' way be - hind,

    F♯⁷   **B⁷**   **E**
It's my time 'cause I'm the next in line.

Outro | **E** | **E** | **E** | **E**   ‖ *Fade out*

The Night Hank Williams Came To Town

Words & Music by
Bobby Braddock & Charlie Williams

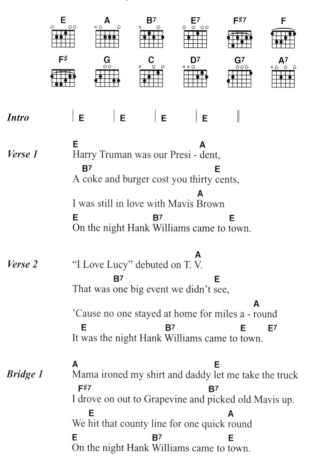

Intro | E | E | E | E ‖

Verse 1
      E   A
Harry Truman was our Presi - dent,
     B⁷   E
A coke and burger cost you thirty cents,
                     A
I was still in love with Mavis Brown
    E   B⁷   E
On the night Hank Williams came to town.

Verse 2
                   A
"I Love Lucy" debuted on T. V.
     B⁷   E
That was one big event we didn't see,
                      A
'Cause no one stayed at home for miles a - round
   E   B⁷   E E⁷
It was the night Hank Williams came to town.

Bridge 1
   A   E
Mama ironed my shirt and daddy let me take the truck
   F♯⁷   B⁷
I drove on out to Grapevine and picked old Mavis up.
   E   A
We hit that county line for one quick round
  E   B⁷   E
On the night Hank Williams came to town.

Verse 3

                             A
A thousand people sweltered in the gym

  B7   **E**
Then I heard someone whisper; "Hey, that's him."

                             A
That's when the crowd let out this deafening sound,

 E   **B7**   **E** | E F F♯ | G | G ‖
It was the night Hank Williams came to town.

Verse 4

                     C
On and on he sang into the night

  D7   **G**
'Jamba - laya', 'Cheatin' Heart', 'I Saw The Light'

                       C
And how'd they get Miss Audrey in that gown

G   **D7**   **G**
On the night Hank Williams came to town.

Solo | G | G | C | C | G | D7 | G | G G7 ‖

Bridge 2

C   **G**
Mavis had her picture made with Hank out by his car

   A7   **D7**
She said; "He sure is humble for a Grand Ole Opry Star."

G   **C**
Mavis said: "Why don't we hang a - round

      G   **D7**   **G**
It ain't often that Hank Williams comes to town."

        C   **G**
While Hank signed his autograph on Beaulah Reisner's fan

A7   **D7**
Mavis got acquainted with the Driftin' Cowboys Band

      G   **C**
The ef - fect on all our lives was quite pro - found

G   **D7**   **G**
On the night Hank Williams came to town.

Outro ‖: G | G | G | G7 | C | C | C | G |

          | G | G | G | G | G | G | D7 | G :‖

Repeat to fade

The Man Comes Around

Words & Music by
John R. Cash

C C/B Am F G C/E

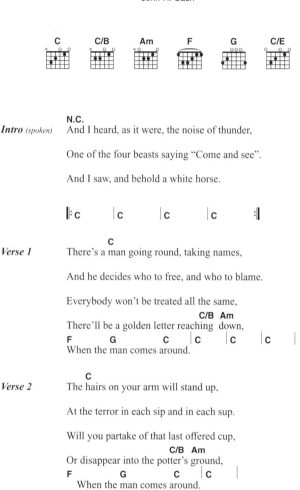

Intro *(spoken)*

N.C.
And I heard, as it were, the noise of thunder,

One of the four beasts saying "Come and see".

And I saw, and behold a white horse.

‖: C |C |C |C   :‖

Verse 1

     C
There's a man going round, taking names,

And he decides who to free, and who to blame.

Everybody won't be treated all the same,
          C/B **Am**
There'll be a golden letter reaching down,
F   **G**   **C** |**C** |**C** |
When the man comes around.

Verse 2

     C
The hairs on your arm will stand up,

At the terror in each sip and in each sup.

Will you partake of that last offered cup,
          C/B **Am**
Or disappear into the potter's ground,
F   **G**   **C** |**C** |
  When the man comes around.

Chorus 1

     C
Hear the trumpets, hear the pipers,

One hundred million angels singing,
                       F   C/E G
Multitudes are marching to the big kettle drum.

Voices calling, voices crying,

Some are born and some are dying,
                     C
It's alpha and omega's kingdom come.

Bridge 1

         F   C
And the whirlwind is in the thorn tree,

The virgins are all trimming their wicks.
     F   C
The whirlwind is in the thorn tree,
     C
It's hard for thee to kick against the pricks,

'Til Armageddon no shalom, no shalom.

Verse 4

         C
Then the father hen will call his chickens home,

The wise men will bow down before the throne.
                       C/B Am
And at his feet they'll cast the golden   crown,
F   G   C |C
   When the man comes around.

Verse 5

       C
Whoever is unjust, let him be unjust still,

Whoever is righteous, let him be righteous still.

Whoever is filthy, let him be filthy still,
                      C/B Am
Listen to the words long written   down,
F   G   C
   When the man comes around.

Chorus 2   As Chorus 1

```
                     F                      C
Bridge 2     And the whirlwind is in the thorn tree,

             The virgins are all trimming their wicks.
                 F                  C
             The whirlwind is in the thorn tree,

             It's hard for thee to kick against the pricks,
                                                C/B  Am
             In measured hundred weight and penny   pound,
             F            G             C
                When the man comes around.

             | C   | C   | C   | C   | C   | C   | C G C  |

             N.C.
Outro (spoken) And I heard a voice in the midst of the four beasts,

             And I looked and behold,

             A pale horse and his name it said on him was Death,

             And hell followed with him.
```

One

Words & Music by U2

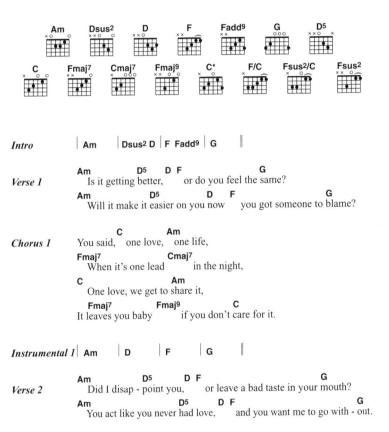

Intro | Am | Dsus² D | F Fadd⁹ | G ‖

Verse 1
Am   D⁵   D F   G
   Is it getting better,   or do you feel the same?
Am   D⁵   D   F   G
   Will it make it easier on you now   you got someone to blame?

Chorus 1
           C   Am
You said,   one love,   one life,
   Fmaj⁷   Cmaj⁷
   When it's one lead   in the night,
C   Am
One love, we get to share it,
   Fmaj⁷   Fmaj⁹   C
It leaves you baby   if you don't care for it.

Instrumental 1 | Am | D | F | G ‖

Verse 2
Am   D⁵   D F   G
   Did I disap - point you,   or leave a bad taste in your mouth?
Am   D⁵   D F   G
   You act like you never had love,   and you want me to go with - out.

Chorus 2

              C   **Am**
Well it's   too late   tonight,

Fmaj7   **Cmaj7**
   To drag the past out   into the light,

C   **Am**
   We're one, but we're not the same,

       Fmaj7   **Cmaj7**
We get to   carry each other, carry each other.

One.

Instrumental 2 | **Am** | **D** | **F** | **G** |

Verse 3

Am   **D**
   Have you come here for for - giveness?

F   **G**
   Have you come to raise the dead?

Am   **D**
   Have you come here to play Jesus

Fmaj7   **G**
   To the lepers in your head?

Chorus 3

          C   **Am**
Did I ask too much,   more than a lot?

Fmaj7   **Cmaj7**
   You gave me nothing now   it's all I got.

C   **Am**
   We're one, but we're not the same

       Fmaj7   **C**
Where we hurt each other, and we're doing it again.

Bridge

      C*
You say love is a temple,

Am
Love the higher law,

C*
Love is a temple,

Am
Love the higher law.

C*
You ask me to enter,

    G
But then you make me crawl,

                 F/C   **Fsus2/C**
And I can't be holding on   to what you've got,

F/C   **C**
   When all you've got is hurt.

Chorus 4

         Am   **Fmaj7**
One love,   one blood,   one life

          Cmaj7
You've got to   do what you should,

C   **Am** **Fmaj7 Cmaj7**
  One life with each other, sister, brothers,

C   **Am**
  One life but we're   not the same,

      Fmaj7   **Cmaj7**
We get to   carry each other, carry each other.

Outro

    C | **Am**
One.

    Fsus2 **F/C** | **Cmaj7**
One.

    C | **Am**
One.

Fmaj9 **Fmaj7** | **Cmaj7**   ‖
One.

One Piece At A Time

Words & Music by
Wayne Kemp

Capo first fret

Intro | E | E | A | A | B |

| B | E | E | E | E ||

Verse 1

Well, I left Kentucky back in '49

     A
An' went to Detroit workin' on a 'sembly line

B   **E**
The first year they had me puttin' wheels on Cadil - lacs.

Every day I'd watch them beauties roll by

     A
And sometimes I'd hang my head and cry

     B   **E**
'Cause I always wanted me one that was long and black.

Verse 2

One day I devised myself a plan

     A
That should be the envy of most any man

B   **E**
I'd sneak it out of there in a lunchbox in my hand.

Now gettin' caught meant gettin' fired

     A
But I figured I'd have it all by the time I retired,

B   **E**
I'd have me a car worth at least a hundred grand.

Chorus 1

I'd get it one piece at a time
A
And it wouldn't cost me a dime
B   **E**
You'll know it's me when I come through your town.

I'm gonna ride around in style
A
I'm gonna drive everybody wild
B   **E**
'Cause I'll have the only one there is a - round.

Verse 3

So the very next day when I punched in
A
With my big lunchbox and with help from my friends
B   **E**
I left that day with a lunch box full of gears.

I've never considered myself a thief
A
But G. M. wouldn't miss just one little piece
B   **E**
Especially if I strung it out over several years.

Verse 4

The first day I got me a fuel pump
A
And the next day I got me an engine and a trunk,
B   **E**
Then I got me a transmission and all the chrome.

The little things I could get in my big lunchbox
A
Like nuts, an' bolts, and all four shocks,
B   **E**
But the big stuff we snuck out in my buddy's mobile home.

Verse 5

Now, up to now my plan went all right
A
'Til we tried to put it all together one night
B   **E**
And that's when we noticed that something was definitely wrong.

The transmission was a '53

cont.
A
And the motor turned out to be a '73
B   E
And when we tried to put in the bolts all the holes were gone.

Verse 6   So we drilled it out so that it would fit
A
And with a little bit of help with an A-daptor kit
B   E
We had that engine runnin' just like a song

Now the headlights, they was another sight
A
We had two on the left and one on the right
B   E
But when we pulled out the switch all three of 'em come on.

Verse 7   The back end looked kinda funny too
A
But we   put it together and when we got thru
B   E
Well, that's when we noticed that we only had one tail - fin.

About that time my wife walked out
A
And I could see in her eyes that she had her doubts
B   E
But she opened the door and said "Honey, take me for a spin."

Verse 8   So we drove up town just to get the tax
A
And I headed her right on down main drag
B   E
I could hear everybody laughin' for blocks a - round

But up there at the court house they didn't laugh
A
'Cause to type it up it took the whole staff
B   E
And when they got through the title weighed sixty pounds.

Chorus 2   I got it one piece at a time

                    A
      And it didn't cost me a dime

              B   **E**
      You'll know it's me when I come through your town.

      I'm gonna ride around in style

                  A
      I'm gonna drive everybody wild

              B   **E**
      'Cause I'll have the only one there is a - round.

               E
Outro   Ah! Yeah, Red Ryder
Spoken

      This is the Cotton Mouth

      In the Psycho-Billy Cadillac, come on

      Huh, This is the Cotton Mouth

      And negatory on the cost of this mow-chine there Red Ryder

      You might say I went right up to the factory

      And picked it up, it's cheaper that way

      Ah! What model is it?

      Well, It's a '49, '50, '51, '52,

      A
      '53, '54, '55, '56

      B   **E**
      '57, '58, '59 automo - bile.

      It's a '60, '61, '62, '63,

      A
      '64, '65, '66, '67

      B   **E**
      '68, '69, '70 automo - bile.

The Orange Blossom Special

Words & Music by
Ervin T. Rouse

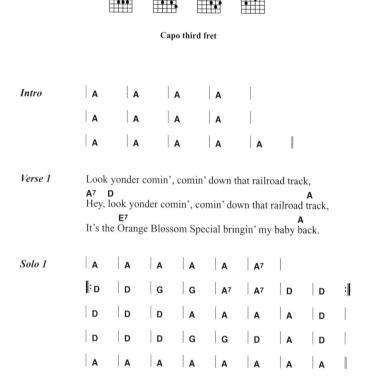

Capo third fret

Intro

| A | A | A | A |

| A | A | A | A |

| A | A | A | A | A |

Verse 1

Look yonder comin', comin' down that railroad track,
A7 D   **A**
Hey, look yonder comin', comin' down that railroad track,
          E7   **A**
It's the Orange Blossom Special bringin' my baby back.

Solo 1

| A | A | A | A | A | A7 |

‖: D | D | G | G | A7 | A7 | D | D :‖

| D | D | D | A | A | A | A | D |

| D | D | D | G | G | D | A | D |

| A | A | A | A | A | A | A | A |

Verse 2	Well I'm goin' down to Florida and get some sand in my shoes, ^{**A⁷**}

A⁷

Verse 2 Well I'm goin' down to Florida and get some sand in my shoes,

D   **A**

Or maybe Californy, and get some sand in my shoes,

E⁷   **A**

I'll ride that Orange Blossom Special, and lose these New York blues.

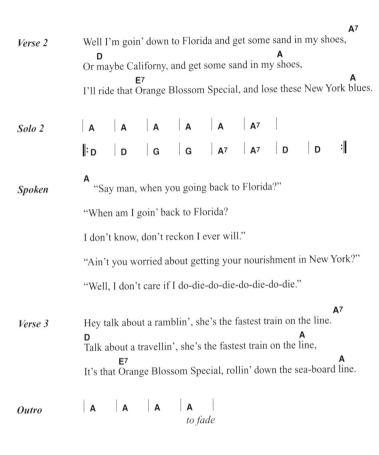

Solo 2

A	A	A	A	A	A⁷	

‖: D | D | G | G | A⁷ | A⁷ | D | D :‖

A

Spoken   "Say man, when you going back to Florida?"

"When am I goin' back to Florida?

I don't know, don't reckon I ever will."

"Ain't you worried about getting your nourishment in New York?"

"Well, I don't care if I do-die-do-die-do-die-do-die."

A⁷

Verse 3 Hey talk about a ramblin', she's the fastest train on the line.

D   **A**

Talk about a travellin', she's the fastest train on the line,

E⁷   **A**

It's that Orange Blossom Special, rollin' down the sea-board line.

Outro

A	A	A	A	

to fade

The One On The Right Is On The Left

Words & Music by
Jack Clement

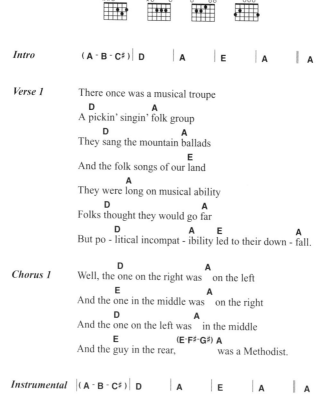

Intro   (A - B - C♯)| D | A | E | A   ‖ A

Verse 1

          There once was a musical troupe
      D   **A**
          A pickin' singin' folk group
      D   **A**
          They sang the mountain ballads
                   E
          And the folk songs of our land
               A
          They were long on musical ability
      D   **A**
          Folks thought they would go far
      D   **A**   **E**   **A**
          But po - litical incompat - ibility led to their down - fall.

Chorus 1

             D   **A**
          Well, the one on the right was   on the left
             E   **A**
          And the one in the middle was   on the right
             D   **A**
          And the one on the left was   in the middle
             E   **(E-F♯-G♯) A**
          And the guy in the rear,   was a Methodist.

Instrumental |(A - B - C♯)| D | A | E | A   ‖ A

Verse 2   This musical aggregation

D   **A**
Toured the entire nation

D   **A**
Singing traditional ballads

                    E
And the folk songs of our land.

          A
They per - formed with great virtuosity

    D   **A**
And soon they were the rage

    D   **A**   **E**   **A**
But pol - itical ani - mosity, pre - vailed upon the stage.

Chorus 2   **D**   **A**
Well, the one on the right was   on the left

      E   **A**
And the one in the middle was   on the right

      D   **A**
And the one on the left was   in the middle

      E   **(E-F♯-G♯) A**
And the guy in the rear,   burned his drivers licence.

Instrumental 2 (**A** - **B** - **C♯**) | **D** | **A** | **E** | **A**   ‖ **A**

Verse 3   Well the curtain had ascended

    D   **A**
A hush fell on the crowd

    D   **A**
As thousands there were gathered

               G
To hear the folk songs of our land.

       A
But they took their politics seriously

    D   **A**
And that night at the concert hall

    D   **A**   **E**   **A**
As the audience watched del - iriously,   they had a free-for-all.

Chorus 3

          D   **A**
Well, the one on the right was on the bottom

          E   **A**
And the one in the middle was on the top

          D   **A**
And the one on the left got a broken arm

          E   **(E-F♯-G♯)**   **A**
And the guy on his rear,   said, "Oh dear".

Instrumental 3 (**A** - **B** - **C♯**)| **D** | **A** | **E** | **A**   ‖ **A**

Verse 4

Now this should be a lesson

        D   **A**
If you plan to start a folk group

D   **A**
Don't go mixin' politics

               E
With the folk songs of our land.

     A
Just work on harmony and diction

D   **A**
Play your banjo well,

        D   **A**   **E**   **A**
And if you have political con - victions keep them to your - self.

Chorus 4

          D   **A**
Now, the one on the left works in a bank

          E   **A**
And the one in the middle drives a truck

        D   **A**
The one on the right's an all-night D J

         E   **(E-F♯-G♯)**   **A**
And the guy in the rear,   got drafted.

Outro   (**A** - **B** - **C♯**) ‖ **D** | **E** | **A** | **A** | **A**   ‖

Rusty Cage

Words & Music by
Chris Cornell

A5	A/E	G5	A/C♯	A/E*

E5	D5/A	E5*	E/B	D

Intro ‖: A5 A/E (G) | A5 A/E (G) | A5 A/E (G) | A5 A/E (G) :‖

Verse 1
A5   A/E (G) A5   A/E
You wi - red me a - wake   *Guitar repeat only*

(G) A5   A/E (G) A5   A/E ‖: A5 A/E (G) | A5 A/E (G) :‖
And hit me with a hand of bro - ken nails.

A5   A/E (G) A5 (G) A5
You tied my lead and pulled my chain

    A/E (G) A5   A/E (G) A5 A/E (G) | A5 A/E (G) |
To watch my blood be - gin to boil.

Chorus 1
A5   A/E (G)   A5   G5 |
But I'm gonna break,

A5 A/E (G)   A5   G5 | A5 A/E
I'm gonna break my,

(G) A5   A/E (G) A5   A/E (G) | A5 A/E (G) |
Gonna break my rust - y cage and run.

A5 A/E (G)   A5   G5 | A5
I'm gonna break,

  A/E (G)   A5   G5 | A5 A/E
I'm gonna break my,

(G)   A5   A/C♯ A/E* G5   A5   A/E (G) A5 A/E (G)
Gonna break my rust - y cage,   and run.

Instrumental 1 | A5 A/E (G) | A5 A/E (G) ‖: A5 A/E (G) | A5 A/E (G) :‖

133

Verse 2

A5   A/E (G) A5   A/E
Too cold to start a fire   *Guitar repeat only*

(G) A5   A/E (G) A5   A/E   (G) ‖: A5 A/E (G) | A5 A/E (G) :‖
I'm burning die - sel, burning dino - saur bones.

A5   A/E (G) A5   A/E (G) A5   A/E
I'll take the river down to still water

(G) A5   A/E (G) A5   A/E (G) | A5   A/E (G) |
And ride a pack of dogs.

Chorus 2

A5 A/E (G) A5   G5 |
I'm gonna break,

A5 A/E (G)   A5   G5 | A5 A/E
I'm gonna break my,

(G)   A5   A/E (G) A5   A/E (G) | A5 A/E (G) |
Gonna break my rust - y cage and run.

A5 A/E (G)   A5   G5 | A5
I'm gonna break,

A/E (G)   A5   G5 | A5 A/E
I'm gonna break my,

(G)   A5   A/C♯ A/E* G5   N.C.
Gonna break my rust - y   cage,   and run.

Bridge

‖: E5 (G) E5 (G) E5 D5/A :‖

| E5 (G) E5 (G) E |

Verse 3

D5/A   E5   (G)   E5   (G) E5 D5/A | E5 (G) E5 (G) E5
When the forest burns along the road,

D5/A E5   (G) E5   (G)   E5 D5/A | E5 (G) E5 (G) E5
Like God's eyes in my head - lights.

D5/A   E5   (G)   E5 (G) E5   D5/A | E5 (G) E5 (G) E5
When the dogs are look - ing for their bones,

D5/A E5   (G)
And it's raining ice-picks

E5   (G) E5 D5/A | E5 (G) E5 (G) E5 D5/A |
On your steel shore.

Chorus 3

E5* (G) E5   (G) E5 D5/A
   I'm gonna break,

E5* (G) E5   (G) E5 D5/A
   I'm gonna break my,

E5 (G)   E5   (G) E5   D5/A E5   (G)   (G) E5 D5/A
    I'm gonna break my rust - y   cage and run.

E5* (G) E5   (G) E5 D5/A
   I'm gonna break,

E5   (G)   E5   (G) E5 D5/A
   I'm gonn - a break my,

E5 (G)   E5   (G) E5   D5/A E5   (G) E5 (G) E5 D5/A
    Gonna break my rust - y   cage and run.

E5* (G) E5   (G) E5 D5/A
   I'm gonna break,

E5 (G) E5   (G) E5 D5/A
   I'm gonna break my,

E5 (G)   E5   (G) E5   D5/A E5   (G)   E5 (G) E5 D5/A
    Gonna break my rust - y   cage and run.

E5* (G) E5   (G) E5 D5/A
   I'm gonna break,

E5 (G) E5   (G) E5 D5/A
   I'm gonna break my,

E5 (G) E5   (G♯) E/B D   E5*
    Gonna break my rust - y   cage and run.

Ring Of Fire

Words & Music by
Merle Kilgore & June Carter

Capo first fret

Verse 1

    A   D   A   D A
Love is a burning thing, _____

              E⁷   A   E⁷ A
And it makes a fir'y ring. _____

         D   A   D A
Bound by wild desires, _____

        E⁷   A
I fell into a ring of fire.

Chorus 1

E⁷   D   A
I fell into a burning ring of fire.

     E⁷
I went down, down, down,

        D   A
And the flames went higher,

E⁷   A
And it burns, burns, burns,

   E⁷   A
The ring of fire,

   E⁷   A
The ring of fire.

Verse 2

E⁷ A   D   A   D A
The taste of love is sweet, _____

             E⁷ A   E⁷ A
When hearts like ours beat. _____

          D   A   D A
I fell for you like a child, _____

        E⁷   A
Oh, but the fire went wild.

Chorus 2

E7   D   A
I fell into a burning ring of fire.

          E7
I went down, down, down,

           D   A
And the flames went higher,

E7   A
And it burns, burns, burns,

      E7   A
The ring of fire,

      E7   A
The ring of fire.

E7   A
   And it burns, burns, burns,

      E7   A
The ring of fire,

      E7   A
The ring of fire.

Outro

      E7   A
‖: The ring of fire,

     E7   A
The ring of fire. :‖   *Repeat to fade*

Rock Island Line

Traditional
Arranged by Alan Lomax & Huddie Ledbetter

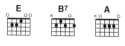

Capo second fret

Intro | E | E | E   ‖

Verse 1

E
Now this here's a story about the Rock Island Line.

Well the Rock Island Line she runs down into New Orleans.

There's a big tollgate down there and you know

If you got certain things on board when you go through the tollgate

Well, you don't have to pay the man no toll.

Well, a train driver he pulled up to the tollgate

And a man hollered and asked him what all he had on board

And he said:

Bridge 1

E
"I got livestock, I got livestock, I got cows, I got pigs, I got sheep,

I got mules, I got all livestock."

Verse 2

E
Well they said: "You're all right boy, you don't have to pay no toll

You can just go right on through."

So he went on through the tollgate,

And as he went through he started pickin' up a little bit of speed,

Pickin' up a little bit of steam.

He got on through he turned, looked back at the man he said:

Bridge 2
faster

    E
"Well I fooled you, I fooled you!

I got pig-iron, I got pig-iron, I got all pig-iron."

Chorus 1

    E
Down the Rock Island Line she's a mighty good road,
                  B7
Rock Island Line it's a road to ride,
    E
Rock Island Line it's a mighty good road.

Well if you ride, you got to ride it like you finally get your ticket
               B7   E
At the station for the Rock Island Line.

Verse 3

    E
Looked cloudy in the west and it looked like rain,
    B7
'Round the curve came a passenger train.

Northbound train on the southbound track,
        N.C.
He's all right a leavin' but he won't be back.

Chorus 2

    E
Well the Rock Island Line she's a mighty good road,
                  B7
Rock Island Line it's a road to ride,
    E
Rock Island Line it's a mighty good road.

Well if you ride, you got to ride it like you finally get your ticket
               B7   E
At the station for the Rock Island Line.

Bridge 3

    E
Oh, I may be right and I may be wrong,
    B7   E
But you're gonna miss me when I'm gone.

Verse 4

    E
Well the engineer said before he died
        B7
There were two more drinks that he'd like to try,

The conductor said "what could they be?"
        N.C.
"A hot cup of coffee and a cold glass of tea."

Chorus 3   As Chorus 2

Rowboat

Words & Music by
Beck

D   A   E   G   C   Am

Intro | D | D | D | D |

Verse 1

A   E   G   D
Row - boat,   row me to the shore,

A   E   G   D
She don't want to be my friend no more.

        A   E   G   D
She dug a hole in the bottom of my soul,

A   E   G   D
She don't wanna be my friend no more.

Chorus 1

C   G
Pick me up,

              D
Gimme some food to eat

C   G
In your truck,

      D
Goin' no place.

C   G
I'll be home,

          D
Talkin' to no - body,

         Am
You'll be strange,

C   D
   You'll be far a - way.

```
A      E            G            D
Big fat moon and my body's out of tune,
         A      E          G              D
With the burning wave, she's a billion years a - way.
A              E            G              D
Dog food on the floor, and I've been like this be - fore,
A      E     G            D
She is all and everything else is small.
```

Chorus 2

```
C        G
Pick me up,
              D
Gimme some alcohol
C        G
In your truck
            D
Playin' the radio.
C      G        D
I'll be home with the gasoline,
        Am
You'll be stoned,
C                D
   You'll be far a - way.
```

Instrumental

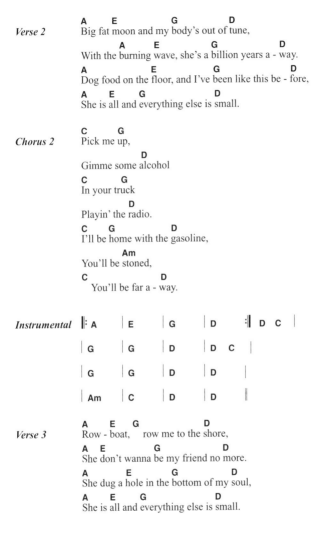

```
‖: A      | E      | G      | D      :‖ D   C  |

   | G      | G      | D      | D   C  |

   | G      | G      | D      | D      |

   | Am     | C      | D      | D      ‖
```

Verse 3

```
A      E    G           D
Row - boat,    row me to the shore,
A    E          G              D
She don't wanna be my friend no more.
A        E          G            D
She dug a hole in the bottom of my soul,
A      E     G            D
She is all and everything else is small.
```

Sam Hall

Traditional
Arranged by John R. Cash

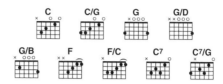

Intro   ‖: C C/G C C/G :‖ C C/G C

Verse 1
C/G   C   C/G   C C/G   C   C/G C
Well my name, it is Sam Hall,   Sam Hall,

C/G   C   C/G   C C/G   G   G/B G/D G/B
Yes my name, it is Sam Hall, it is Sam Hall,

      C   C/G   C C/G   F   F/C   F F/C
My name it is Sam Hall,   and I hate you one and all,

          C   C/G   G G/D   C   C/G C C/G
And I hate you one and all,   damn your eyes!

Verse 2
      C   C/G   C   C/G   C   C/G C C/G
I killed a man, they said, so they said,

      C   C/G   C   C/G   G   G/B G/D G/B
I killed a man, they said, so they said,

      C   C/G   C C/G   F   F/C   F
I killed a man, they said,   and I smashed in his head,

F/C   C   C/G G   G/B   C   C/G C C/G
And I left him layin' dead, damn his eyes!

Verse 3
          C   C/G   C C/G   C   C/G C C/G
But a-swingin' I must go, I must go,

      C   C/G   C C/G   G   G/B G/D G/B
A-swingin' I must go, I must go,

          C   C/G   C C/G   F   F/C   F
But a-swingin' I must go while you critters down below

F/C   C   C/G   G   G/D   C   G/B G G/B
Yell up "Sam I told you so" well damn your eyes!

Instrumental | C C/G C C/G | C C/G C C/G | C C/G C C/G | G G/D G G/D |

| C C/G C⁷ C⁷/G | F F/C F F/C | C C/G G G/D ‖ C C/G C

              C/G C   C/G   C   C/G C   C/G C

Verse 4   I saw Molly in the crowd, in the crowd,

              C/G C   C/G   C   C/G G   G/B G

I saw Molly in the crowd, in the crowd,

              G/B C   C/G   C   C/G F   F/C   F

I saw Molly in the crowd, and I hollered right out loud,

              F/C   C   C/G   G   G/D   C   C/G C

"Hey there Molly, ain't you proud, damn your eyes!"

              C/G   C   C/G   C C/G   C   C/G C

Verse 5   Then the Sheriff he came too, he came too,

              C/G   C   C/G C C/G   G   G/B G/D G/B

Oh yeah, the Sheriff he came too, he came too,

                C   C/G   C C/G   F   F/C   F

The Sheriff he come too,   and he said "Sam how are you?"

              F/C   C   C/G   G   G/D   C   C/G C C/G

And I said well Sheriff, "How are you?" damn your eyes!

                C   C/G   C C/G   C C/G C C/G

Verse 6   My name is Samu - el, Samu - el,

                C   C/G   C C/G G G/B G G/B

My name is Samu - el, Samu - el,

                C   C/G   C C/G F   F/C F

My name is Samu - el, and I'll see you all in hell,

              F/C   C   C/G   G G/D   C   C/G C

And I'll see you all in hell! Damn your eyes!

San Quentin

Words & Music by
Johnny Cash

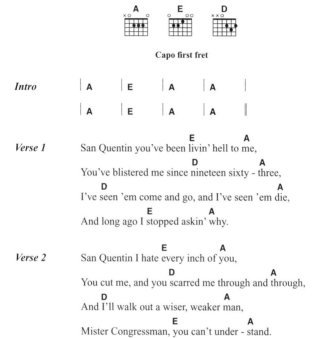

Capo first fret

Intro
| A | E | A | A |
| A | E | A | A ‖

Verse 1
                                    E   A
San Quentin you've been livin' hell to me,
                                        D   A
You've blistered me since nineteen sixty - three,
        D   A
I've seen 'em come and go, and I've seen 'em die,
                        E   A
And long ago I stopped askin' why.

Verse 2
                            E   A
San Quentin I hate every inch of you,
                            D   A
You cut me, and you scarred me through and through,
        D   A
And I'll walk out a wiser, weaker man,
                            E   A
Mister Congressman, you can't under - stand.

Guitar solo	A	E	A	A	
	A	E	A	A	‖
	D	D	A	A	
	A	E	A	A	‖

Verse 3

                                   E   **A**
San Quentin what good do you think you do?
                   D   **A**
Do you think I'll be different when you're through?
        D   **A**
You bend my heart and mind, and you warp my soul,
                          E   **A**
Your stone walls turn my blood a little cold.

Verse 4

                            E   **A**
San Quentin may you rot and burn in hell,
                            E
May your walls fall and may I live to tell,
    A   **D**
May all the world forget you ever stood,
       A   **E**   **A**
And may all the world re - gret you did no good.
                   E   **A** **E** **A**
San Quentin I hate   every inch of you.

A Singer Of Songs

Words & Music by
Tim O'Connell

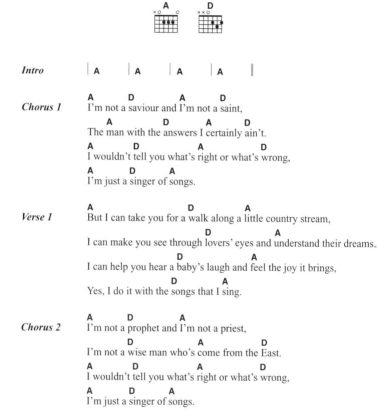

Intro | A | A | A | A ||

Chorus 1
A   D   A   D
I'm not a saviour and I'm not a saint,
     A   D   A   D
The man with the answers I certainly ain't.
A   D   A   D
I wouldn't tell you what's right or what's wrong,
A   D   A
I'm just a singer of songs.

Verse 1
A   D   A
But I can take you for a walk along a little country stream,
            D   A
I can make you see through lovers' eyes and understand their dreams.
         D   A
I can help you hear a baby's laugh and feel the joy it brings,
         D   A
Yes, I do it with the songs that I sing.

Chorus 2
A   D   A
I'm not a prophet and I'm not a priest,
       D   A   D
I'm not a wise man who's come from the East.
A   D   A   D
I wouldn't tell you what's right or what's wrong,
A   D   A
I'm just a singer of songs.

Verse 2

A   **D** **A**
But I can take you to a city where a man was crucified,
       D   **A**
I can tell you how He lived and I can tell you why He died.
       D **A**
I can help proclaim the glory of this mighty King of Kings,
      D **A**
Yes, I do it with the songs that I sing.

Chorus 3

A **D** **A**   **D**
I'm not a great man, I don't claim to be,
 A   **D** **A**   **D**
But when I meet my Maker and He questions me.
 A **D** **A**   **D**
I won't hang my head, I will stand proud and strong
   A **D** **A** **D**
And say, "I was a singer, Lord, I was a singer.
   A **D** **A**
Yes, I was a singer of songs."

So Doggone Lonesome

Words & Music by
John R. Cash

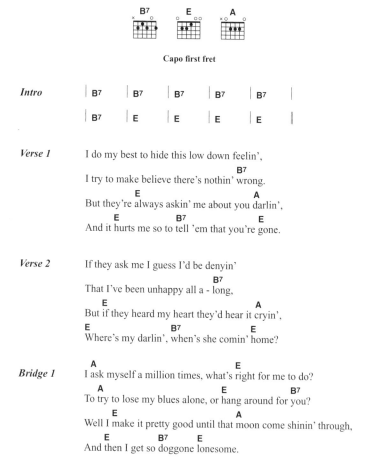

Capo first fret

Intro | B⁷ | B⁷ | B⁷ | B⁷ | B⁷ |

| B⁷ | E | E | E | E ‖

Verse 1
I do my best to hide this low down feelin',
                             B⁷
I try to make believe there's nothin' wrong.
         E   **A**
But they're always askin' me about you darlin',
     E   **B⁷**   **E**
And it hurts me so to tell 'em that you're gone.

Verse 2
If they ask me I guess I'd be denyin'
                    B⁷
That I've been unhappy all a - long,
  E   **A**
But if they heard my heart they'd hear it cryin',
E   **B⁷**   **E**
Where's my darlin', when's she comin' home?

     A   **E**
Bridge 1 I ask myself a million times, what's right for me to do?
    A   **E**   **B⁷**
To try to lose my blues alone, or hang around for you?
      E
Well I make it pretty good until that moon come shinin' through,
 E   **B⁷**   **E**
And then I get so doggone lonesome.

Instrumental

A	A	E	E
A	A	E	E
A	A	E	E
B7	B7	B7	B7
E	E	E	E ‖

Verse 3

Time stands still when you're a-waitin',
                                B7
Sometimes I think my heart is stoppin' too,
E   **A**
One lonely hour seems for - ever,
E   **B7**   **E**
Sixty minutes more to wait for you.

Verse 4

But I guess I'll keep waiting 'til you're with me,
                            B7
'Cause I believe that lovin' you is right.
     E   **A**
But I don't care if the sun don't rise to - morrow,
     E   **B7**   **E**
If I can't have you with me to - night.

        A   **E**
Bridge 2 Well I know I'll keep on lovin' you 'cause true love can't be killed,
     A   **E**   **B7**
I ought to get you off-a my mind, but I guess I never   will.
        E   **A**
I could have a dozen others, but I know I'd love you still
        E   **B7**   **E**
'Cause I get so doggone lonesome.

Outro

| B7 | B7 | B7 | B7 |
| B7 | B7 | E | E | E ‖

149

Solitary Man

Words & Music by
Neil Diamond

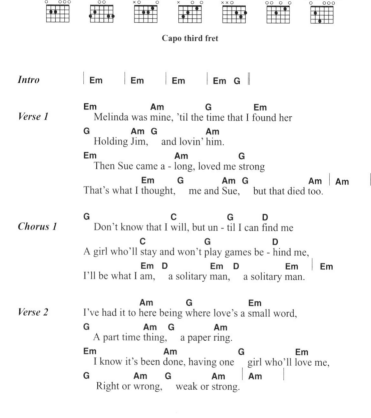

Capo third fret

Intro | Em | Em | Em | Em G ‖

Verse 1
   Em   Am   G   Em
    Melinda was mine, 'til the time that I found her
   G   Am G   Am
    Holding Jim,   and lovin' him.
   Em   Am   G
    Then Sue came a - long, loved me strong
                 Em   G   Am G   Am | Am |
    That's what I thought,   me and Sue,   but that died too.

Chorus 1
   G   C   G   D
    Don't know that I will, but un - til I can find me
                C   G   D
    A girl who'll stay and won't play games be - hind me,
             Em D   Em D   Em | Em
    I'll be what I am,   a solitary man,   a solitary man.

Verse 2
              Am   G   Em
   I've had it to here being where love's a small word,
   G   Am G   Am
    A part time thing,   a paper ring.
   Em   Am   G   Em
    I know it's been done, having one   girl who'll love me,
   G   Am G   Am | Am |
    Right or wrong,   weak or strong.

Chorus 2

G   C   G   D

Don't know that I will, but un - til I can find me

                   C   G   D

The girl who'll stay and won't play games be - hind me,

                  Em D   Em D   Em

I'll be what I am,   a solitary man,   a solitary man.

Instrumental ‖:Em | Am7/E :‖

Chorus 3

G   C   G   D

Don't know that I will, but un - til love can find me

                   C   G   D

And the girl who'll stay, and won't play games be - hind me,

                  Em D   Em D   Em

I'll be what I am,   a solitary man,   a solitary man,

D   Em(add9) Em

A solitary man.

Straight A's In Love

Words & Music by
Johnny Cash

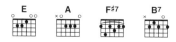

Tune guitar slightly sharp
Capo first fret

Intro | E | E | E | E | E |

Verse 1

E
Well, a-readin' and a-writin' and arithmetic

Never did get through to me.

It ain't because I'm square or thick 'cause I learned my A, B, C's.

But when I graduated from the grammar school

And I moved one grade above,
A   B7   E
I began to be a snook at book, but I made straight A's in love.

Chorus 1

A
Now the teacher would say to learn your algebra,
       E
But I'd bring home C's and D's
       A
How could I make an A when there's a swingin' maid
       F#7   B7
On the left and on the right and in the back and the front of me?
       E
Oh, my grades are low on my card, I know,

But they ought to give me one above,
                              A
If they'd give me a mark for learnin' in the dark,
       B7   E
I'd have straight A's in love.

Guitar solo

```
| E      | E      | A    | A    |
| B7     | B7     | E    | E    ‖
```

Verse 2

    E
Now in my senior year with graduation near,

I did my homework every night,

And when my mama said I ought to go to bed, I'd turn out all the lights.

But my sweetie pie was waitin' right outside,

She'd be a-cooin' like a dove,

  A
So I did my best, I failed semester test,

  B7   **E**
But I made straight A's in love.

Chorus 2   As Chorus 1

Sunday Morning Coming Down

Words & Music by
Kris Kristofferson

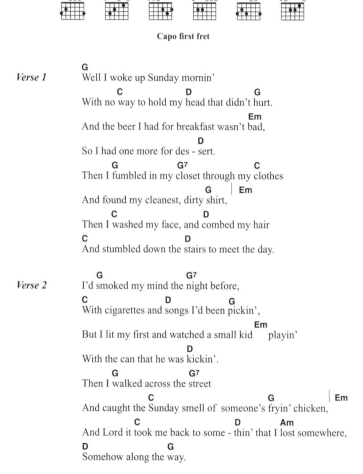

G C D Em G7 Am

Capo first fret

Verse 1

    G
Well I woke up Sunday mornin'

    C   D   G
With no way to hold my head that didn't hurt.

                              Em
And the beer I had for breakfast wasn't bad,

                    D
So I had one more for des - sert.

    G   G7   C
Then I fumbled in my closet through my clothes

                       G | Em
And found my cleanest, dirty shirt,

         C   D
Then I washed my face, and combed my hair

 C   D
And stumbled down the stairs to meet the day.

Verse 2

     G   G7
I'd smoked my mind the night before,

C   D   G
With cigarettes and songs I'd been pickin',

                           Em
But I lit my first and watched a small kid   playin'

                  D
With the can that he was kickin'.

    G   G7
Then I walked across the street

          C   G | Em
And caught the Sunday smell of someone's fryin' chicken,

          C   D   Am
And Lord it took me back to some - thin' that I lost somewhere,

D   G
Somehow along the way.

Chorus 1

                 C
On a Sunday mornin' sidewalk,

                        G
I'm wishing Lord, that I was stoned.

                     D
'Cause there's something in a Sunday,

                 G
That makes the body feel alone.

                 C
And there's nothin' short of dyin',

                    G
That's half as lonesome as the sound

            D
Of the sleepin' city sidewalks

                   G
And Sunday mornin' comin' down.

Verse 3

               G7
In the park I saw a Daddy

     C   **D**   **G**
With a laughin' little girl that he was swingin',

And I stopped beside a Sunday School

     Em   **D**
And listened to the songs that they were singin'

     G   **G7**
Then I headed down the street,

              C   **G** | **Em**
And somewhere far away a lonely bell was ring - in',

     C   **D**
And it echoed through the canyons

       Am   **D**   **G**
Like our disappearing dreams of yester - day.

Chorus 2   As Chorus 1 *rall. at end*

Tennessee Flat-top Box

Words & Music by
John R. Cash & Johnny Cash

Capo first fret

Intro
| A | A | A | A |
| A | A | A ‖

Verse 1

           A   **E**
In a little cabaret in a South Texas border town,

                                           A
Sat a boy and his guitar, and the people came from all around.

                         E
And all the girls from there to Austin,

                                    A
Were slippin' away from home and puttin' jewellery in hock

                       E
To take the trip, to go and listen,

                                                    A
To the little dark-haired boy that played the Tennessee flat top box.

                D
And he would play...

Solo 1
‖: D | D | D | A |
| A | A | A | D :‖
| A | A | A ‖

Verse 2

        A   E
Well, he couldn't ride or wrangle, and he never cared to make a dime.

                               A
But give him his guitar, and he'd be happy all the time.

                     E
And all the girls from nine to ninety,

                                                    A
Were snappin' fingers, tappin' toes, and begging him: "Don't stop."

                           E
And hypnotized and fasci - nated,

                                           A
By the little dark-haired boy that played the Tennessee flat top box.

                    D
And he would play...

Solo 2

```
‖: D      | D      | D      | A      |
 | A      | A      | A      | D     :‖
 | A      | A      | A      ‖
```

Verse 3

           A   E
Then one day he was gone, and no one ever saw him 'round,

                                           A
He'd vanished like the breeze, and they forgot him in the little town.

                         E
But all the girls still dreamed a - bout him,

                                      A
And hung around the cabaret until the doors were locked.

                           E
And then one day on the Hit Pa - rade,

                                           A
Was a little dark-haired boy that played a Tennessee flat top box.

                    D
And he would play...

Solo 3

```
‖: D      | D      | D      | A      |
 | A      | A      | A      | D     :‖
‖: A      | A      | A      | A     :‖   Repeat to fade
```

There You Go

Words & Music by
John R. Cash

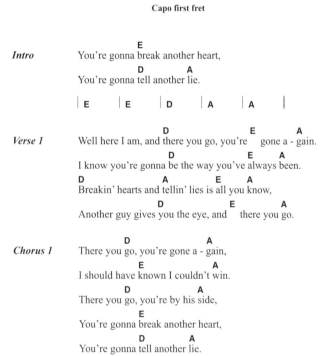

Capo first fret

Intro
                  E
You're gonna break another heart,

               D   A
You're gonna tell another lie.

| E | E | D | A | A |

Verse 1
                   D   E   A
Well here I am, and there you go, you're gone a - gain.

                       D   E   A
I know you're gonna be the way you've always been.

D   A   E   A
Breakin' hearts and tellin' lies is all you know,

                     D   E   A
Another guy gives you the eye, and   there you go.

Chorus 1
                D   A
There you go, you're gone a - gain,

                   E   A
I should have known I couldn't win.

               D   A
There you go, you're by his side,

                 E
You're gonna break another heart,

             D   A
You're gonna tell another lie.

Solo

A	D	E	A	
A	D	E	A	
D	A	E	A	
A	D	E	A	A	
E	E	D	A	A

Verse 2

                                  D   E   A

Because I love you so I take much more than I should take,

                 D   E   A

I want you even though I know my heart is gonna break.

            D   A   E   A

You build me up and for a while I'm all a - glow,

                                     D   E   A

Then your fickle heart sees someone else, and   there you go.

Chorus 2

                 D   A

There you go, you're gone a - gain,

                  E   A

I should have known I couldn't win.

                 D   A

There you go, you're by his side,

                 E

You're gonna break another heart,

                 D   A

You're gonna tell another lie.

Outro

| A | E | E | D | A |

(There'll Be)
Peace In The Valley (For Me)

Words & Music by
Thomas A. Dorsey

A   B7   E   D   A7   D#dim7

Intro | A | B7 E | A D | A ‖

Verse 1

     A   D   A
Oh well, I'm tired and so weary but I must go a - long,

                       B7   E
Till the Lord comes and calls, calls me a - way, oh yes.

     A   A7   D   A
And the morning's so bright and the Lamb is the Light,

                  B7 E   A   D A
And the night, night is as black as the sea, oh yes.

Chorus 1

     A   D   A
There will be peace in the valley for me some day,

     B7   E
Peace in the valley for me, dear Lord I pray.

        A   A7   D   D#dim7
There'll be no sadness, no sorrow, no trouble I see,

        A   B7   E A   D A
There'll be peace in the valley for me.

Piano solo | D | D | A | A |

                    | A | B7 | E | E |

                    | A | A7 | D | D#dim7 |

                    | A | B7 E | A D | A ‖

Verse 2

     A   D   A
The bear will be gentle and the wolf will be tame,

                B7   E
And the lion shall lay down with the Lamb, that's what He said.

      A   A7   D   A
And the beast from the wild will be led by a little child,

               B7   E   A   D A
And I will be changed from this creature that I am.

Chorus 2

     A   D   A
And there'll be peace in the valley for me some day,

     B7   E
Peace in the valley for me, dear Lord I pray.

         A   A7   D   D♯dim7
There'll be no sadness, no sorrow, no trouble I'll see,

        A   B7   E A   D   A
There'll be peace in the valley for me some sweet, sweet day.

A Thing Called Love

Words & Music by
Jerry Hubbard

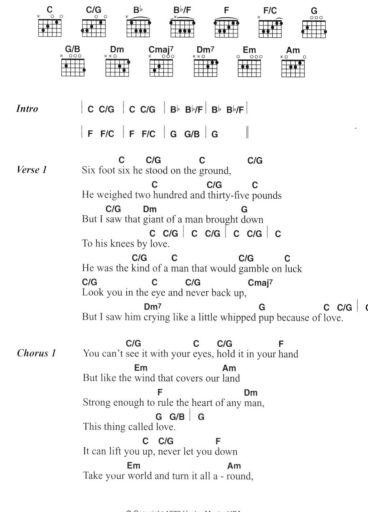

Intro | C C/G | C C/G | B♭ B♭/F | B♭ B♭/F |

| F F/C | F F/C | G G/B | G ‖

Verse 1
            C   C/G   C   C/G
Six foot six he stood on the ground,
                  C   C/G   C
He weighed two hundred and thirty-five pounds
         C/G   Dm   G
But I saw that giant of a man brought down
               C C/G | C C/G | C C/G | C
To his knees by love.
         C/G   C   C/G   C
He was the kind of a man that would gamble on luck
C/G   C   C/G   Cmaj7
Look you in the eye and never back up,
              Dm7   G   C C/G | C
But I saw him crying like a little whipped pup because of love.

Chorus 1
             C/G   C   C/G   F
You can't see it with your eyes, hold it in your hand
            Em   Am
But like the wind that covers our land
                 F   Dm
Strong enough to rule the heart of any man,
           G G/B | G
This thing called love.
        C   C/G   F
It can lift you up, never let you down
           Em   Am
Take your world and turn it all a - round,

cont.

        C   **C/G**   **G**
Ever since time nothing's ever been found

           C C/G │ **C C/G** │
That's stronger than love.

B♭ B♭/F B♭ B♭/F F F/C F F/C   **G** **G/B** │ **G**
(Ooh,————————— love,—— a thing called love.——)

Verse 2

            C   **C/G**   **C**
Most men are like me, they struggle and doubt

    C/G   **C**   **C/G**   **C**
They trouble their minds day in and day out,

    C/G   **Dm**   **G**
Too busy with livin' to worry a - bout

              C C/G │ **C C/G** │ **C C/G** │ **C**
A little word like love.

        C/G C   **C/G**   **C**
But when I see a mother's tender - ness

    C/G   **C**   **C/G** **C**
As she holds her young close to her breast,

    C/G   **Dm7**   **G**
Then I thank God that the world's been blessed

        C C/G │ **C**
With a thing called love.

Chorus 2

        C/G   **C**   **C/G**   **F**
You can't see it with your eyes, hold it in your hand

        Em   **Am**
But like the wind that covers our land

          F   **Dm**   **G**
Strong enough to rule the heart of any man, this thing called love.

        C C/G   **F**
It can lift you up, never let you down

       Em   **Am**
Take your world and turn it all a - round,

      C   **C/G**   **G**
Ever since time nothing's ever been found

          C C/G │ **C**
That's stronger than love,

C/G   **C**   **C/G**   **G**
Ever since time nothing's ever been found

          C C/G │ **C C/G**
That's stronger than love.

B♭ B♭/F B♭ B♭/F F F/C F
(Ooh,————————— love,——

  F/C   **C C/G** │ **C C/G** │ **C C/G** │ **C G C** ‖
A thing called love.————————————)

Thirteen

Words & Music by
Glenn Danzig

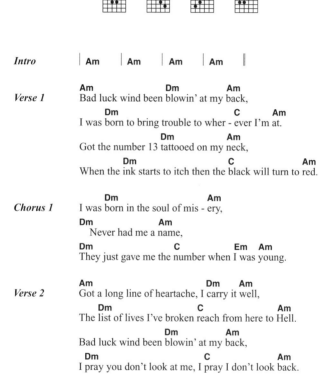

Intro | Am | Am | Am | Am ‖

Verse 1
    Am   Dm   Am
Bad luck wind been blowin' at my back,
         Dm   C   Am
I was born to bring trouble to wher - ever I'm at.
                     Dm   Am
Got the number 13 tattooed on my neck,
                Dm   C   Am
When the ink starts to itch then the black will turn to red.

Chorus 1
               Dm   Am
I was born in the soul of mis - ery,
Dm   Am
   Never had me a name,
Dm   C   Em   Am
They just gave me the number when I was young.

Verse 2
Am   Dm   Am
Got a long line of heartache, I carry it well,
      Dm   C   Am
The list of lives I've broken reach from here to Hell.
                   Dm   Am
Bad luck wind been blowin' at my back,
   Dm   C   Am
I pray you don't look at me, I pray I don't look back.

Chorus 2
       Dm   **Am**
I was born in the soul of mis - ery,

Dm   **Am**
  Never had me a name,

Dm   **C**   **Em** **Am**
They just gave me the number when I was young.

Chorus 3
       Dm   **Am**
I was born in the soul of mis - ery,

Dm   **Am**
  Never had me a name,

Dm   **C**   **Em** **Am**
They just gave me the number when I was young.

Dm   **C**   **Em** **Am**
They just gave me the number when I was young.

Train Of Love

Words & Music by
John R. Cash

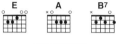

Capo first fret

Intro	E	E	E	E	E	E	E

Verse 1   Train of love's a-comin'

Big black wheels a-hummin'
A
People waitin' at the station,

Happy hearts are drummin',
E
Train man tell me maybe,

Ain't you got my baby?
B7
Ever so often everybody's baby gets the urge to roam,

                                       E
But everybody's baby but mine's comin' home.

Verse 2   Now stop your whistle blowin'

'Cause I got ways of knowin'
           A
You're bringin' other peoples lovers

But my own keeps goin'.
E
Train of love deceiving,

When she's not gone she's leavin'.
B7
Ever so often everybody's baby gets the urge to roam,

                                       E
But everybody's baby but mine's comin' home.

Solo 1		E		E		E		E		E		E		A		
		A		A		A		E		E		E		E	‖

Verse 3

Train of love now hasten,

Sweethearts standin' waitin',

A
Here and there and everywhere

They're gonna be embracin'

E
Train man tell me maybe,

Ain't you got my baby?

B7
Ever so often everybody's baby gets the urge to roam,

                                                         E
But everybody's baby but mine's comin' home.

Solo 2		E		E		E		E		E		E		E	‖

Verse 4

Train of love's a-leavin'

Leavin' my heart grievin',

 A
But early or late I sit and wait

Because I'm still believin'

  E
We'll walk away together

Though I may wait forever.

B7
Ever so often everybody's baby gets the urge to roam,

                                                         E
But everybody's baby but mine's comin' home.

25 Minutes To Go

Words & Music by
Shel Silverstein

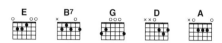

Intro

    E
Well they're building a gallows outside my cell,
           B7
I've got 25 minutes to go.

And the whole town's waitin' just to hear me yell,
           E
I've got 24 minutes to go.

Link 1
   | E | E | E | E ||

Verse 1

    E
Well they gave me some beans for my last meal,
           B7
I've got 23 minutes to go.

                                          E
But nobody asked me how I feel, I've got 22 minutes to go.

Well I sent for the governor and the whole dern bunch
           B7
With 21 minutes to go.

And I sent for the mayor but he's out to lunch,
           E
I've got 20 more minutes to go.

                                              B7
Then the sheriff said boy I'm gonna watch you die, got 19 minutes to go.

                                        E
So I laughed in his face and I spit in his eye, got 18 minutes to go.

Link 2 | **G** | **G** | **G** | **G**   ‖

Verse 3

G
Now hear comes the preacher for to save my soul
                D
With 13 minutes to go.

And he's talking bout' burnin', but I'm so cold,
                G
I've 12 more minutes to go.

Now they're testin' the trap and it chills my spine
                D
With 11 more minutes to go.

And the trap and the rope, aw, they work just fine,
                G
Got ten more minutes to go.

Well I'm waitin' for the pardon that'll set me free
                D
With nine more minutes to go.
                                                                    G
But this is for real so forget about me, got eight more minutes to go.

Link 3 | **A** | **A** | **A** | **A**   ‖

Verse 4

A
With my feet on the trap and my head in the noose,
                E
Got five more minutes to go.
                                                                    A
Won't somebody come and cut me loose, got four more minutes to go.
                                                                    E
I can see the mountains, I can see the sky, three more minutes to go.

And it's too dern pretty for a man don't wanna die,
                A
I got two more minutes to go.
                                                                    E
I can see the buzzards, I can hear the crows, one more minute to go.

And now I'm swingin' and here I go!   *Fade out*

Two Timin' Woman

Words & Music by
Johnny Cash

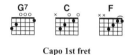

Capo 1st fret

Intro | G7 | G7 | C | C ‖

Verse 1

C
Woke up this morning in a terrible mood,

Now you talk about a woman treatin' a good man rude,

                F   C
She had me talkin' to myself gazin' at that mean ole wall.

           G7   C
She had another daddy waitin' down at the end of the hall.

She changes with the weather like the leaves I recall,

She blossoms in the spring but then she's gone in the fall.

       F   C
A two timin' woman with a heart of solid stone.

        G7   C
She tells me that she loves me but her heart's a little under - grown.

Guitar solo | C | C | C | C |

| F | F | C | C |

| G7 | G7 | C | C ‖

C
Well she said she'd never leave me but she got the urge to roam,

Now she drifts around the country like a steamboat on the foam,

    F   C
She never changes course she just goes along that same ol' way.

    G⁷   C
Well I hope she keeps a driftin' rolls along back home some - day.

'Cause if I ever find her gonna chain her to the floor

And tell her now "Sit there woman you ain't leavin' no more,

    F   C
I'm gonna tame you woman till you're eatin' from my hand.

    G⁷   C
It's not that I don't love you honey it's just to make you under - stand".

Understand Your Man

Words & Music by
John R. Cash

[Chord diagrams: C Am F G G7 D7 C7]

Intro

| C | | C | | Am | | Am | |
| F | | G G7 | C | | C | |

Verse 1

                       Am
Don't call my name out your window, I'm leavin',
F   **G** **G7**
  I won't even turn my head.
C
  Don't send your kin folks to   **Am** give me no talkin',
D7   **G** **G7**
  I'll be gone like I said.

Bridge 1

C
  You'd said the same old thing that you been sayin' all a - long, **C7**
F
Lay there in your bed and keep your mouth shut 'til I'm gone.
C   **Am**
Don't give me that old familiar cry 'n' cuss and moan.

Chorus 1

F   **G**   **C**   **Am**
  Under - stand your man, I'm tired of your bad mouthin',
F   **G**   **C**
  Under - stand your man.

Instrumental	C	C	Am	Am
	F	F	G7	G7
	C	C	Am	Am
	D7	D7	G	G7
	C	C	C	C7
	F	F	F	F
	C	C	Am	Am
	F	G G7 C	C	

Verse 2

                                 Am
You can give my other suit to the Salvation Army,
F   **G**   **G7**
   And everything else, I'll leave be - hind.
C   **Am**
I ain't takin' nothin' that'll slow down my travellin',
D7   **G**   **G7**
   While I'm untanglin' my mind.

Bridge 2

    C   **C7**
   I ain't gonna repeat what I said any more,
F
While I'm breathin' air that ain't been breathed before.
C   **Am**
   I'll be as gone as a wild goose in winter,

Chorus 2

   F   **G**   **C**   **Am**
‖: Then you'll under - stand your man, medi - tate on it,
F   **G**   **C**   **Am**
Under - stand your man, you hear me talkin'honey,
F   **G**   **C**   **Am**
Under - stand your man, remember what I told you,
F   **G**   **C** **Am**
Under - stand your man.   :‖   *Repeat to fade*

173

The Wanderer

Words by Bono
Music by U2

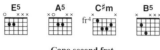

Capo second fret

Intro ‖: E5 | E5 | E5 | E5 :‖

Verse 1

E5
I went out walking through streets paved with gold,

A5
Lifted some stones, saw the skin and bones

    E5
Of a city without a soul.

Verse 2

I went out walking under an atomic sky

       A5
Where the ground won't turn, and the rain it burns

    E5
Like the tears when I said goodbye.

Chorus 1

C#m   A5
Yeah I went with nothing,

E5   B5
Nothing but the thought of you

       C#m | A5 B5 | E5 | E5 |
I went wandering.

Verse 3

E5
I went drifting through the capitals of tin

    A5
Where men can't walk or freely talk

    E5
And sons turn their fathers in.

Verse 4   I stopped outside a church house

               Where the citizens like to sit
                        A⁵
               They say they want the kingdom
                        E⁵
               But they don't want God in it.

Verse 5   I went out riding down that old eight lane
                        A⁵
               I passed by a thousand signs
               E⁵
               Looking for my own name.

                C♯m   **A⁵**
Chorus 2   I went with nothing,
                        E⁵   **B⁵**
               But the thought you'd be there too
                                C♯m | **A⁵** **B⁵** | **E⁵** | **E⁵** |
               Looking for you.

Link 1 | **E⁵** | **E⁵** | **E⁵** | **E⁵** |

Bridge   I went out there
                        E⁵
               In search of experience
                        C♯m
               To taste and to touch
                        A⁵
               And to feel as much
               E⁵
                  As a man can
               B⁵   **C♯m** | **A⁵** **B⁵** | **E⁵** | **E⁵** |
                  Before he repents.

Verse 6

E5
I went out searching, looking for one good man,

A5
A spirit who would not bend or break

E5
Who would sit at his father's right hand.

Verse 7

I went out walking

With a bible and a gun

A5
The word of God lay heavy on my heart

E5
I was sure I was the one.

Verse 8

Now Jesus, don't you wait up,

Jesus, I'll be home soon

A5
Yeah I went out for the papers

E5
Told her I'd be back by noon.

Chorus 3

C♯m   A5
Yeah I left with nothing

E5   B5
But the thought you'd be there too

          C♯m | A5 B5 | E5 | E5 |
Looking for you.

Chorus 4

C♯m   A5
Yeah I left with nothing

E5   B5
Nothing but the thought of you

          C♯m | A5 B5 | E5 | E5 |
I went wandering.

Outro

‖: E5 | E5   :‖ A5 | A5 |

| E5 | E5 | C♯m | A5 |

| E5 | B5 | C♯m | A5 B5 | E5 | E5   *Fade out*

176

Wanted Man

Words & Music by
Bob Dylan

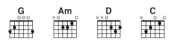

Intro | G | Am | D | C G |

Chorus 1
Wanted man in California,
Am
Wanted man in Buffalo,
D
Wanted man in Kansas City
C   **G**
Wanted man in Ohio

Wanted man in Mississippi
Am
Wanted man in Ole Cheyenne
D
Wher - ever you might look tonight
C   **G**
You might see this wanted man.

Verse 1
I might be in Colorado,
Am
Or Georgia by the sea,
D
Workin' for some man
C   **G**
Who may not know who I might be.

And if you ever see me comin',
Am
And if you know who I am
G
Don't you breathe it to nobody
C   **G**
'Cause you know I'm on the lamb.

Chorus 2   Wanted man by Lucy Watson,

                Am
    Wanted man by Jeannie Brown,

              D
    Wanted man by Nellie Johnson,

          C   **G**
    Wanted man in this next town.

Verse 2   Well I've had all that I've wanted

            Am
    Of a lot of things I've had,

            D
    And a lot more than I needed

          C   **G**
    Of some things that turned out bad.

Guitar solo 1 | G | Am | D | C   G ‖

          G
Verse 3   I got sidetracked in El Paso,

             Am
    Stopped to get myself a map

           D   **C**   **G**
    Went the wrong way in Pleurez with Jua - nita on my lap.

    Then I went to sleep in Shreveport,

            Am
    Woke up in Abilene

   D   **C**   **G**
    Wonderin' why I'm wanted at some town half way be - tween.

Chorus 3   Wanted man in Albuquerque,
               Am
           Wanted man in Syracuse
             D
           Wanted man in Tallahassee,
             C   **G**
           Wanted man in Baton Rouge.

Guitar solo 2 | **G** | **Am** | **D** | **C**   **G** ‖

             G
Verse 4   There's somebody set to grab me
              Am
           Any - where that I might be,
                D
           And wher - ever you might look tonight
              C   **G**
           You might get a glimpse of me.

Chorus 4   Wanted man in California,
              Am
           Wanted man in Buffalo,
             D
           Wanted man in Kansas City,
             C   **G**
           Wanted man in Ohio.

           Wanted man in Mississippi,
             Am
           Wanted man in ol' Cheyenne
             D   **C**   **G**
           Wher - ever you might look tonight you might see this wanted man.

Outro | **D** | **C** **G** | **G**   ‖

Wayfaring Stranger

Traditional
Arranged by Johnny Cash

Intro	Am	Am	Am	Am
	Dm	E7	Am	Am

Verse 1

Am
I'm just a poor wayfaring stranger,

               Dm   Am
Travelling through this world be - low.

There is no sickness, no toil, nor danger

                  Dm E7   Am
In that bright land   to which I go.

Chorus 1

Am   F   C
I'm going there to see my father

               F   E7
And all my loved ones who've gone on.

           Am
I'm just going over Jordan,

         Dm E7   Am
I'm just go - ing over home.

Instr.	Am	Am	Am	Am
	Dm	Dm	Am	Am
	Am	Am	Am	Am
	Dm	E7	Am	Am

Verse 2

    Am
I know dark clouds will gather 'round me,

        Dm   **Am**
I know my way is hard and steep.

But beauteous fields arise before me,

           Dm   **E7**
Where God's re - deemed   their vigils keep.

Chorus 2

    Am   **F**   **C**
I'm going there to see my mother,

F   **Esus4**   **E**
She said she'd meet me when I come.

        Am
So I'm just going over Jordan,

      Dm E7   **Am**
I'm just go - ing over home.

    Am
I'm just going over Jordan,

      Dm E7   **Am**
I'm just go - ing over home.

The Ways Of A Woman In Love

Words & Music by
Charlie Rich & William Justis

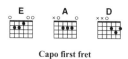

Capo first fret

| *Intro* | | E | E | A | A | ‖ |

Verse 1
    A   E
You've cut out your dancin' and you never see a show,
                                 A
Friends drop by to pick you up and you hardly ever go.
    D   A
It seems your head is in the clouds a - bove,
                        E   A
You've got the ways, (you've got the ways) of a woman in love.

Verse 2
    A   E
I walk by your house at night in hope that I might see
                      A
The guy who's got you in a spin, I wish that guy was me.
    D   A
I don't know why it's you I'm dreamin' of,
                        E   A
You've got the ways, (you've got the ways) of a woman in love.

Bridge 1
    D   A
Many is the night I've stayed awake and cried,
    D   A   E
Now you'll never know how much you've hurt my foolish pride.

Verse 3
    A   E
I recall your kisses, the times I held you tight,
                      A
Now when I come to see you you're sittin' in the light.
    D   A
Missing all the things that we dreamed of,
                      E   A
You've got the ways, (you've got the ways) of a woman in love.

Piano Solo		D		D		A		A		
		A		E		A		A		

Bridge 2   As Bridge 1

Verse 4
    A   **E**
I recall your kisses, the times I held you tight,
                           A
Now when I come to see you you're sittin' in the light.
D   **A**
Missing all the things that we dreamed of,
                      E   **A**
You've got the ways, (you've got the ways) of a woman in love.
                      E   **A**
You've got the ways, (you've got the ways) of a woman in love.

183

Were You There
(When They Crucified My Lord)

Traditional
Arranged by Johnny Cash

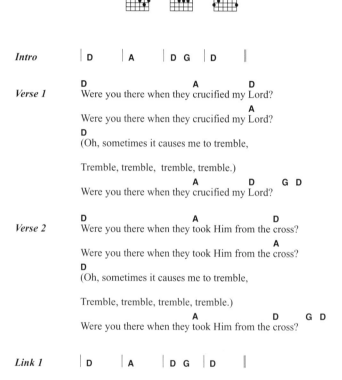

Intro | D | A | D G | D ‖

Verse 1

D   A   D
Were you there when they crucified my Lord?

                                A
Were you there when they crucified my Lord?

D
(Oh, sometimes it causes me to tremble,

Tremble, tremble, tremble, tremble.)

                        A   D   G D
Were you there when they crucified my Lord?

Verse 2

D   A   D
Were you there when they took Him from the cross?

                                 A
Were you there when they took Him from the cross?

D
(Oh, sometimes it causes me to tremble,

Tremble, tremble, tremble, tremble.)

                        A   D   G D
Were you there when they took Him from the cross?

Link 1 | D | A | D G | D ‖

Verse 3

D   A   D
Were you there when they laid Him in the tomb?

             A
Were you there when they laid Him in the tomb?

D
(Oh, sometimes it causes me to tremble,

Tremble, tremble, tremble, tremble.)

          A   D G D
Were you there when they laid Him in the tomb?

Verse 4

D   A   D
Were you there when the stone was rolled a - way?

             A
Were you there when the stone was rolled a - way?

D
(Oh, sometimes it causes me to tremble,

Tremble, tremble, tremble, tremble.)

         A   D G D
Were you there when the stone was rolled a - way?

Wreck Of The Old '97

Traditional
Additional Words by David George
Arranged by Norman Blake, Robert Johnson & Johnny Cash

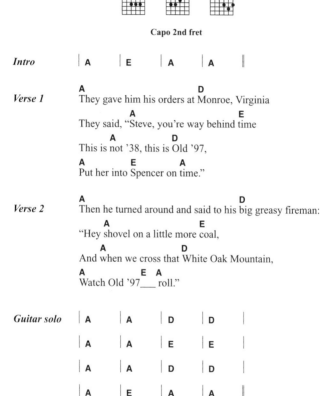

Capo 2nd fret

Intro | A | E | A | A   ‖

Verse 1
A   D
They gave him his orders at Monroe, Virginia

         A   E
They said, "Steve, you're way behind time

      A   D
This is not '38, this is Old '97,

A   E   A
Put her into Spencer on time."

Verse 2
A   D
Then he turned around and said to his big greasy fireman:

      A   E
"Hey shovel on a little more coal,

     A   D
And when we cross that White Oak Mountain,

A   E A
Watch Old '97___ roll."

Guitar solo | A | A | D | D |

                  | A | A | E | E |

                  | A | A | D | D |

                  | A | E | A | A   ‖

Verse 3

A　　　　　　　　　　　　　　**D**
It's a mighty rough road from Lynchburg to Danville

　　A　　　　　　**E**
In a line on a three mile grade.

　　　A　　　　　　**D**
It was on that grade that he lost his air brakes,

A　　　**E**　　**A**
See what a jump he made.

Verse 4

A　　　　　　　　　　　　　　　**D**
He was goin' down the grade makin' 90 miles an hour,

　　　A　　　　　　　**E**
His whistle broke into a scream.

　　　　A　　　　　　　　**D**
He was found in the wreck with his hand on the throttle,

A　　　**E**　　　**A**
Scalded to death by the steam.

Verse 5

A　　　　　　　　　　　　　**D**
Well now all you ladies, you better　take a warnin'

　　　A　　　　　**E**
From this time on and learn.

　　　A　　　　　　　**D**
Never speak harsh words to your true love or husband,

　　　　A　　　**E**　**A**
He may leave you and never re - turn.

You're The Nearest Thing To Heaven

Words & Music by
Johnny Cash, Hoyt Johnson & Jim Atkins

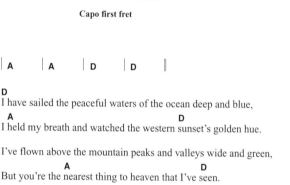

Capo first fret

Intro | A | A | D | D ‖

Verse 1
D
I have sailed the peaceful waters of the ocean deep and blue,
A   D
I held my breath and watched the western sunset's golden hue.

I've flown above the mountain peaks and valleys wide and green,
A   D
But you're the nearest thing to heaven that I've seen.

Chorus 1
G   D
You're the nearest thing to heaven, yes you are,
A   D
I have searched for happiness so long and far.

G
But my search for love was through the day that I found you,
D   A   D
'Cause you're the nearest thing to heaven, yes you are.

Verse 2
D
I confess that I've been tempted by alluring magic charm,
A   D
When a smile was flashed my way and stood be - fore two open arms.

But I turn and walk away because I love you like I do,
A   D
You're the nearest thing to heaven, darling, you.

Link 1 | A | A | D G | D   ‖

D
Verse 3   I have watched the silver raindrops fall to earth to cool the day,
                A   **D**
             Watched the rainbow at twilight when the clouds had blown away.

             I loved the pretty flowers, but he cannot buy their worth,
                A   **D**
             But you're the nearest thing to heaven on this earth.

D   **G**   **D**
Verse 4   You're the nearest thing to heaven, yes you are,
                A   **D**
             I have searched for happiness so long and far.
                                        G
             But my search for love was through the day that I found you,
                           D   **A**   **D** **G D**
             'Cause you're the nearest thing to heaven, yes you are.

What Is Truth

Words & Music by
John R. Cash

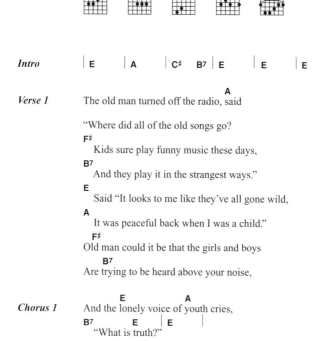

| E | A | C♯ | B7 | F♯ |

Intro | E | A | C♯ B7 | E | E | E

Verse 1

                                          A
The old man turned off the radio, said

"Where did all of the old songs go?
F♯
   Kids sure play funny music these days,
B7
   And they play it in the strangest ways."
E
   Said "It looks to me like they've all gone wild,
A
  It was peaceful back when I was a child."
   F♯
Old man could it be that the girls and boys
     B7
Are trying to be heard above your noise,

Chorus 1

           E   **A**
And the lonely voice of youth cries,
B7   **E** | **E**
    "What is truth?"

Verse 2 A little boy of three sittin' on the floor

A

Looks up and says "Daddy what is war?"

F#

   "Son that's when people fight and die."

  B7

A little boy of three says "Daddy why?"

E

Young man of seventeen at Sunday School

A

   Being taught the golden rule,

        F#

And by the time another year's gone around

    B7

It may be his turn to lay his life down.

        E   **A**

Chorus 2 Can you blame the voice of youth

      B7   **E** | **E** |

For asking   what is truth?

Instrumental 1 | **E** | **A** | **C#** **B7** | **E** | **E** | **E** |

        E

Verse 3 Young man sittin' on the witness stand,

      A

The man with the book says "Raise your hand,

     F#

Re - peat after me, I solemnly swear,"

B7

   The man looked down at his long hair.

      E

And although the young man solemnly swore,

A

   Nobody seemed to hear anymore.

        F#

And it didn't really matter if the truth was there,

       B7

It was the cut of his clothes, and the length of his hair.

Chorus 3

                E   **A**
And the lonely voice of youth cries,

B7   **E** | **E** |
  "What is truth?"

Instrumental 2| **E** | **A** | **C♯** **B7** | **E** | **E**   ‖

Verse 4

E
The young girl dancin' to the latest beat,

   A
Has found new ways to move her feet,

   F♯
The young man speaking in the city square

   B7
Is trying to tell somebody that he cares.

E
  Yeah the ones that you're callin' wild

   A
Are gonna be the leaders in a little while.

   F♯
This whole world's wakin' to a new born day

                        B7
And I solemnly swear that it'll be their way.

Chorus 4

         E   **A**   **B7**   **E**
You'd better help that voice of youth find   what is truth.

                  A
And the lonely voice of youth cries,

B7   **(N.C)** **E**
  "What is truth?"

1/09(168532)
2 3 4 5 6 7 8 9